혹서

혹서

발 행 | 2023년 10월 30일
저 자 | 윤
펴낸이 | 한건희
펴낸곳 | 주식회사 부크크
출판사등록 | 2014.07.15(제2014-16호)
주 소 | 서울특별시 금천구 가산디지털1로 119 SK트윈타워 A동 305호
전 화 | 1670-8316
이메일 | info@bookk.co.kr

ISBN | 979-11-410-4957-7

www.bookk.co.kr

혹서

* 혹서 : 몹시 심한 더위

윤 지음

그해 여름은 몹시 더웠다. 그러나 그 시절엔 몰랐다.
지나고 나서야 내가 그만큼이나 숨 막혔다는 것을,
혹서의 계절이었다는 것을 알았다.

어쩌면 어느 단어보다도 따뜻하고 우리를 온전히 빛내줄
수 있었던 단어는 여름이지 않을까.
우린 모두 사랑을 했다.
우정이라는 이름의 사랑을 깊게 나눴다. 한여름 밤의 꿈이
아닌 우리들의 뜨거웠던 여름을 모든 감정으로 새겼다.

마음속 깊은 곳까지 꾹꾹 눌러 담아 새겼다.
영영 잊지 못할 우리들의 여름을.

너는 아직 살아있을까?

계속 살아있어야만 해.

엄마보다, 아빠보다도 오래 살아야지.

그냥 이대로 여름이 영영 사라졌으면 좋겠어.

겨울만 가득한 세상이었으면 좋겠어.

여름 냄새도 나지 않고 여름의 흔적이 하나도 남지 않은, 그런 시간이면 좋겠어.

아니. 영원히 여름이었으면 좋겠어.

하루하루가 포근함에 둘러싸인 푸른 언덕 같았으면 좋겠어. 널 영원히 떠올릴 수 있고 너만큼 아름다운 여름이었으면 좋겠어.

그랬으면 좋겠어.

하늘과 맞물린 바다에,

네가 있을 그 어느 특별한 경계에,

내 모든 편지를 날린다.

"너무 빨리 지나가 버린 우리의 여름에게"

*

그런 생각을 한 적이 있어. 내일 당장 지구가 멸망하면 어떻게 될까. 나는 살아남을 수 있을까? 내가 유일한 생존자가 될까? 지구가 멸망한다면 인류도 멸망하는 걸까?

인류가 멸망하면 지구를 기록하고 기억할 인간들도 없어진 채로 잊히려나. 멸망된 사회는 어쩌다 새로운 문명의 시작이 되고 나는 새로 태어나려나.

새로 태어난 나는 그 문명 속에서 자라겠지. 자라면서 지구의 멸망을 상상하겠지. 그 상상 속에서 나는 유일한 생존자겠지.

너와 나는 기억하자.

네가 살아있었음을, 내가 살아있었음을.

나는 영원히 기억할 거야. 아침에 눈을 뜨면서 네 이름을 되새길 거야. 자기 전까지 너를 계속해서 떠올릴 거야. 깨어있는 시간이면 온통 너를 기억할 거야. 잊혀도 떠올릴 거야. 그렇게 영원히 너를 내 안에 묻을 거야.

나는 살아있다.

너를 증명하기 위해 살아있다.

네가 아직 살아있음을 증명하고, 네가 나와 함께 했던 시간을 증명하기 위해 살아있다.

삶은 뭘까.

죽음은 뭘까.

사람은 뭘까.

나는 뭘까.

왜 여전히 살아있지?

네가 없는 시간 속에 너를 증명하기 위해 살아있는 것은 무슨 의미가 있지?

내가 너를 증명하면 나는 누가 증명하지?

내가 사라져도 아직 내가 살아있음을,

내가 죽어도 내가 살아있었음을 누가 증명하지?

아니. 아무도 날 증명하지 않아도 괜찮아.

널 증명함으로써 나는 증명되니까.

우린 영원히 살 거야.

언젠가 숨이 멈추고 눈을 뜨지 않게 되는 순간까지도 살 수 있는 모든 날을 살아낼 거야. 죽어도 살아있을 거야. 다시 태어나기까지의 시간 동안도 나는 살아낼 거야. 다시 태어나서, 너를 또 만나고 사랑해서, 수많은 계절에 잡아 먹힐 그 순간을 몇 번이고 반복할 거야.

*

지구에 살면서 지구가 둥글다는 걸 실감한 적은 없었다. 태어나보니 지구는 둥글다고 밝혀진 세상이었다. 살면서 지구가 둥글다는 걸 직접 느낄 수 있는 순간이 얼마나 될까. 이 바다에서 문득 하늘을 올려다봤을 때, 하늘은 마치 이곳을 중심으로 휘어진 것 같았다. 이곳을 축으로 감싸고 있는 것 같았다.

나는 그때 처음으로 지구가 둥글다는 것을 믿기 시작했다. 그리고 바다에서 봤던 너의 그 모습을 아직도 생생히 기억한다.

넌 마치 태양 빛에 잡아먹히는 것 같았어. 곧 부서지고 흩날려서 그대로 내 눈앞에서 사라질 것 같았어. 왜 그렇게 보였던 걸까. 두 다리로 꼿꼿이 서 있는 네가 왜 금방이라도 쓰러질 것 같았을까. 강렬하게 비치는 햇빛에 네 잔털과 바닷물이 마르면서 생기는 각질들이 네 몸을 감싸고 있었어. 그게 마치 비늘 같아서… 건들이면 안 될 생명체 같아서……

고민하다 널 잡았어. 그곳은 열기로 가득했고 네 숨이 전부 나에게 밀착되는 것 같았어. 네 팔을 잡으니 살결이 부드럽지 않았어. 까슬한 느낌에 그 팔을 계속 잡고 있을 수 없었어. 계속해서 잡고 있다간 내 손에서도 비늘이 생길까 봐…

나 어쩌면 네가 물고기가 될 거란걸 이미 알고 있었나 봐. 네가 바다로 돌아갈 걸 이미 알고 있었나 봐. 너는 눈을 천천히 뜨면서 나를 바라봤어. 태양 빛에 비치는 얼굴에 네 얇은 피부가 다 투명해져서 마치 피부 속까지 보일 것 같았어. 나는 그 광경이 마치 새로운 생명체가 만들어지는 탄생의 순간처럼 보여서, 세포가 결합하고 그 안에서 새로운 숨소리가 요동치는 것처럼 보여서 가만히 그 광경을 보고 있을 수밖에 없었어. 네가 먼저 입을 열었고 나는 그저 고개를 끄덕이는 게 전부였지만 그 공허의 순간이 나도 모르게 벙쪘고 너를 특별함이라는 단어와 연결했어.

사람들은 모두 다 특별함 하나씩을 가지고 싶어 하잖아. 나한테 그 특별함은 너였어. 그래서 널 놓고 싶지 않았어. 너와 평생에 가깝게 붙어살며 나도 우정이라는 것을 쌓아보고 싶었어.

나, 네가 진심으로 좋았어.

*

한여름이 이 마을로 오게 된 건 2년 전이었다.

어렸을 적에 나는 여름이 싫었다. 덥고 습한데 장마까지 껴 있으니 좋아할 수가 없었다. 청결을 중시했던 나는 땀에 젖은 내 모습이 너무도 싫었다. 물웅덩이를 잘못 밟아 더럽혀진 신발도 싫었고 얼굴에 머리카락이 들러붙어 시야가 가려지는 것도 싫었다. 끈적이는 몸으로 습한 곳 한가운데에 서 있을 땐 정말이지 여름이라는 계절이 너무 미웠다.

그날은 딱 그 여름이 시작되던 아주 초여름의 날이었다.

내가 살던 집은 마당이 조금 넓던 단층집이었는데 마을 자체가 작아서 또래 아이들도 많이 없었다. 그래서 항상 친구와 노는 아이들이 나도 모르게 부러웠다. 그 부러움이 계속되던 차에 이 작은 마을로 동갑 여자애가 이사를 왔다. 짐을 옮기던 여자애의 높게 묶은 머리가 눈에 띄었다. 항상 단발을 유지해 왔던 나에게는 그 모습이 조금 생소해 괜히 내 머리카락을 몇 번 쓸어내렸다. 너무 빨리 머리카락의 끝에서 떨어져 나오는 손이 갈 곳을 잃자 나는 왠지 처음으로 머리를 길게 기르고 싶다고 생각했다.

어떤 기분일까.

머리를 길게 기르면 어떤 기분일까.

더울 것 같은데.

그런 생각을 하다 보니 그 여자애는 이미 시야에서 사라지고 없었다.

나는 이상하게도 작은 기대감이 부풀었다.

이건 친해지고 싶은 감정일까?

친구라는 건 뭘까. 나는 처음 만난 여자애를 이상하리만치 어떤 관계로 정의하고 싶었다.

나에겐 '친구'라는 단어가 너무 낯간지럽게 느껴졌다. 친구의 존재가 어떨 땐 가족보다도 가깝고 의지하게 된다고 하는데 나는 그 말을 아직 이해하지 못했다. 스치듯 지나갔던 그 여자애는 학교에서 다시 마주할 수 있었다. 이름이 여름이라고 했던가. 싫기만 했던 여름이 새롭게 다가오던 느낌이었다. 반이 하나밖에 없던 학교에선 당연하게도 여름과 내가 같은 반이 되었다.

아, 햇살 같다.

나는 학교에서 여름을 처음 봤을 때 그런 생각을 했다. 창가 자리에 앉아 밖을 바라보던 너는 한여름의 햇살을 가득 머금은 아이 같았다고. 살짝 열이 올라 붉게 상기되어 있던 볼이 여름이라는 이름과 참 잘 어울린다고. 그래서 나도 모르게 말을 걸었던 걸까. 내가 어느새 정신을 차렸을 땐 이미 여름에게 인사를 건넨 후였다. 안녕이라는 짧은 인사. 용기 낸 한마디였지만 길지는 못했던 그런 인사였다. 창밖으로 매미 소리가 울렸다. 창틈으로 불어온 바람이 내 짧은 머리칼을 헤집었을 때, 창밖을 보던 여름은 바람의 방향을 따라 나와 얼굴을 마주 봤다. 나는 잠깐 주변의 시간이 느리게 흐르는 것 같다고 느꼈다. 눈길이 마주친 여름은 함박웃음을 지었다. 눈이 사랑스럽게 접혔다.

"안녕."

그 인사를 보고 나는 나도 모르게 웃음이 났다. 살짝 보이는 미소가, 그 미소에 감싸진 인사가 이상하게 기분이 좋았다. 조금 들뜬 나는 긴장이 풀리기 시작했다.

어…… 그러니까 나는 손여울이야.

나는 한여름. 너랑 나 이름이 꽤 비슷하다.

그런가?

비슷한가. 한여름이 품은 분위기는 전혀 나에게 어울리지 않는 것 같았다. 그래서 이름이 비슷하다는 말에 대해 깊이 생각했다. 몇 번 입으로 발음을 비교해 보니 여울, 여름 비슷한 거 같기도 했다. 내가 한창 이름에 대해 생각할 때 말소리가 이어서 들렸다.

혹시 학교에 학생은 이게 다야? 신기하다…… 내가 다니던 고등학교는 사람이 진짜 많았거든. 나는 이상하게 그게 너무 싫었다? 그래서 여기가 왠지 좋아. 나는 나를 아는 사람이 되도록 없었으면 좋겠어.

왜?

글쎄… 나를 아는 사람이 많으면 내가 죽을 때 슬픈 사람이 많아지잖아.

한여름은 혼자 주절주절 많은 말을 내뱉고는 다시 창문으로 고개를 돌렸다. 그래. 넌 분명 이런 소리를 했었다. 그때의 나는 죽기엔 너무 찬란한 나이에 죽음 후를 생각한다는 게 이상했다는 걸 몰랐다.

한여름은 여전히 웃고 있었지만, 아까와는 사뭇 달랐다. 아까 웃던 얼굴은 햇살 같았는데 지금은 뭐랄까, 건조한 풀 같았다. 살짝 만지면 바스러질 것 같았다. 한여름은 한 손으로 턱을 괴고 창틈의 미세한 바람을 맞았다.

나는 그런 한여름을 보면서 나와 닮아있으면서도 어딘가 다르다고 느꼈다. 사람을 대하는 게 편안해 보였지만 거리감이 느껴졌다. 그리고 어딘가 날이 서 있었다. 웃는 얼굴이지만 마냥 웃고 있지만은 않은 것 같았다. 나는 왠지 얼마 되지도 않는 그 몇 마디의 말들로 친밀감이 들었다. 나와 비슷한 것 같다가도 확연히 달랐던 점이 신기했다. 마냥 밝지만은 않은 흐릿한 여름에 휘감긴 듯했다. 나는 한여름이 어떤 사람일지 궁금해졌다. 더 많은 대화를 하고 싶었다. 그날 학교를 마치고 집에 가던 길에 나는 여름에게 물었다.

이 마을엔 어쩌다가 오게 된 거야? 누가 올 만한 그런 곳은 아닌데.

그냥 조용해 보여서 왔어. 편할 것 같아서.

여름은 웃으면서 말했다. 무슨 사정이라도 있는 걸까. 사정을 물어보고 싶었지만 금세 숙연해진 여름을 보니 말이 나오지 않았다. 아무 말도 하지 않고 잠깐 걸었더니 여름의 집에 도착했다. 우리 집과 가깝지도 멀지도 않은 위치였다. 살짝 허름한 외관에 흔히 볼 수 있는 대문이 달려있었다. 한여름은 내 시선을 의식한 건지 “잠깐 들어왔다 가도 돼”라고 말했다. 나는 잠시 망설이다가 “아…, 그러면 잠시 실례할

게." 라고 답했다. 집 안으로 들어서니 내부는 깔끔했다. 적당한 크기의 텔레비전, 아늑한 소파, 중간 크기의 창과 여러 개의 방문이 있었다. 여름은 나를 자신의 방으로 안내했다. 방을 보자마자 느낀 것은 깔끔함이었다. 깔끔하고 단정했다. 방이 방주인을 닮았네… 라고, 생각했다. 방에 앉아 간단한 얘기들을 주고받다 보니 밖에서 대문이 열리는 소리가 들렸다. 여름과 함께 밖을 나갔을 땐 어떤 아저씨가 서 있었다. 크지 않은 덩치와 희끗희끗 나 있는 흰머리 몇 가닥이 눈에 들어왔다. 한여름은 웃으며 아저씨를 맞이했다. 슬쩍 내게 자신의 아빠라고 설명했다. 나는 가볍게 인사를 했고 아저씨는 웃으며 반갑다고 말을 건넸다. 한여름과 아저씨는 부녀가 주고받는 형식적인 대화를 했지만, 애정이 묻어있었다.

아빠와 마저 인사를 나누고 온 한여름은 내게 복숭아를 좋아하냐고 묻더니 부엌에서 냉장고를 열어 복숭아를 두 개 꺼내왔다. 그리곤 과도를 챙겨 방으로 다시 돌아와 바닥에 앉았다. 밖은 점점 어두워지고 있었다. 시간이 꽤 늦은 것 같았는데 더 이상 대문이 열리는 소리는 들리지 않았다.

엄마는 언제 오셔?

순수한 물음이었다. 나는 한여름이 아빠보다 엄마를 더 많이 닮았을 것 같았으니까. 그러나 나는 머지않아 내가 뭔가 실수를 했다는 것을 깨달았다. 한여름은 눈동자가 살짝 흔들리다가 몇 번 목을 가다듬고는 말했다. 돌아가셨어.

아하하…그렇구나. 미안해…. 어떤 말을 해야 할지 생각이 나지 않았다. 어쭙잖은 동정 따윈 하고 싶지 않았지만 상처를 준 것은 분명했다. 여름은 사과하는 나에게 고개를 저으며 "아냐, 벌써 1년 전인걸"이라고 연신 웃어 보였다. 너는 정말 아무렇지 않다는 듯 복숭아를 잘랐다. 껍질만 벗기고 아직 자르지 않은 복숭아를 건네며 한여름은 이어서 말했다.

교통사고로 돌아가셨어. 처음엔 슬펐는데 지금은 괜찮아. 그러니까 정말 안 미안해도 돼. 복숭아는 어때? 맛있지. 나 복숭아 되게 좋아하거든.

창틈으로 들어온 바람에 네 긴 머리가 휘날렸다. 너는 바람을 느끼듯 얼굴을 살짝 흔들며 덤덤하게 말했다. 나는 복숭아를 손에 들고 한 입 베어 물었다.

나는 종종 너를 보며 닮고 싶다고 생각했었다. 지나간 일에 웃으며 대답할 수 있는 사람. 자신의 상처를 뒤로 하고 다른 사람을 위로할 수 있는 사람. 그 무엇도 나는 해당하지 않았다. 널 떠올리면 학교에서 봤던 조용함에서 찾는 편안함과 옅게 띈 미소, 포근함이 기억에 남았다. 어쩌면 첫인상부터 쭉 잔잔한 강물 같다고 느꼈다. 나는 마치 네가 나는 도달할 수 없는 출구를 가진 것 같았으니까. 네가 점점 나를 부정할 수 있게끔 만들어 주는 사람 같았고, 또 그런 너를 닮고 싶다고 생각했었다.

집을 나오니 이미 깜깜해진 길에 가로등 하나가 불을 밝히며 서 있었다. 그 길을 걸으며 나는 지금까지의 나를 떠올렸다. 나는 이기적인 사람이었다. 배려라는 말이 어울리지 않는 사람이었다. 그에 비해 한여름은 따뜻한 사람이었다. 나와는 전혀 다른 사람. 사람은 원래 반대인 사람과 끌린다던가. 나는 그날 밤, 잠에 들지 못했다. 몇 시간 전의 나를 후회하면서도 아무렇지 않게 말하던 여름의 얼굴이 그려졌다. 그다음엔 분명 자신을 아는 사람이 되도록 없었으면 좋겠다던 네 말이 떠올랐다. 다음날 일어나 다시 여름을 마주하기 전까지 나는 계속해서 어제 일을 회상했다. 학교에 가서 여름을 만났을 때, 여름은 어제처럼 활짝 웃고 있었다.

*

날씨 중에 유난히 비 오는 날을 좋아했다. 비 내리는 한 가운데에 서서 가만히 하늘을 보면 빗방울이 떨어지는 게 아니라 내가 하늘로 올라가는 것만 같았다.

나는 떨어지는 이 물방울들에, 나를 조여오는 이 찝찝함에 겨우 숨을 쉬었다. 비를 좋아하게 된 것은 엄마가 죽으면서였다.

엄마는 비를 싫어했다.

왜 싫다고 했더라.

정확히 기억나진 않는다. 엄마는 그 싫어하던 비에 씻겨 죽었다. 평생을 고생하며 피를 묻히던 자신의 몸뚱아리를 씻어내며 죽었다. 그 순간엔 행복했을까. 그 순간만큼은 비를 사랑했을까.

약 1년 전이었다.

엄마는 음주운전의 피해자였다.

그날도 평소와 같았다. 간호사로 일했던 엄마에겐 매번 환자가 최우선이었다. 엄마는 매일 지쳐있었으면서 미소를 잃지 않았다. 그런 엄마를 나는 동경했다. 엄마를 닮고 싶었다.

교통사고가 났던 날은 비가 심하게 내렸다. 초여름의 장마가 시작되던 날이었다. 창문엔 온통 김이 서려있었다. 집에서 아무렇지 않게 엄마를 기다리던 여름의 아빠는 간호사라는 직업이 늘 그렇듯 아 오늘도 늦는구나. 라며 대수롭지 않게 넘겼다. 나는 그저 김이 서린 창문을 바라보며 중얼거렸다. 우리 엄마 비 오는 거 싫어하는데…

시곗바늘이 12시를 가리킬 때쯤 집에 전화가 한 통 왔다. 교통사고가 났다고. 가해자는 술을 마신 채 차를 몰았고 엄마는 그 차에 치여 한참을 빗물에 쓸렸다고. 엄마의 몸을 적시는 게 빗물인지 피인지도 가늠되지 않았다던가. 그 전화를 받았을 땐 손이 너무 떨려서 전화기를 잡고 있을 수가 없었다.

왜? 엄마 오늘 못 온대?

아빠. 엄마가…… 엄마가…….

아빠는 심상치 않은 내 표정에 떨어뜨린 전화기를 다시 들어 자기 귀에 가져다 댔다. 아빠는 순식간에 표정이 어두워지더니 차 키를 챙겨 집을 나갔다. 나도 아빠를 뒤따랐다. 아빠 차에 올라탄 후 아빠와 나는 아무 말도 하지 않았다. 나는 그때 처음 엄마가 없는 내 삶을 상상했다.

차를 타고 한참을 달려 도착한 곳은 엄마가 일하던 병원이 아닌 낯선 병원이었다. 아빠는 허겁지겁 병원에 들어가 엄마를 찾았다. 아빠의 머리는 언제 이렇게 다 젖은 건지 식은땀이 흠뻑 했다. 계산대에서 직원과 몇 마디를 주고받던 아빠는 내게 돌아와 내 손을 잡고 한 병실 앞에 섰다. 아빠 손은 희미하게 떨리고 있었다. 문을 열어보니 병실 안엔 흰 천으로 덮인 침대가 있었다. 그 흰 천위로 사람의 윤곽이 드러나 있었다. 침대 밑엔 엄마 이름이 적혀있었다. 나는 고개를 돌려 아빠를 쳐다봤다. 아빠는 아까보다 더 손이 떨리고 있었다. 머지않아 내 손에서 아빠의 손이 밑으로 흘러내렸다. 아빠는 주저앉아 무릎을 꿇고 있었다. 고꾸라진 상체는 호흡이 가빠지는 듯 들썩거렸다. 아빠도 이렇게 소리 내서 울 수 있는 사람이었던가. 그날, 아빠의 울음소리를 처음 들었다. 손이 떨렸다. 아니, 전신이 떨렸다.

나는 흰 천을 조심스레 걷어 올렸다. 흰 천 사이로 하나둘 보이는 머리카락, 평평한 이마, 눈썹이 차례로 보였다. 얼굴을 다 드러냈을 땐 나도 주저앉았다. 정말 몸이 모래성처럼 부서지고 무너져내릴 것만 같았다.

엄마는 아무 미동도 없이 누워있었다. 검붉은 피를 뒤집어 쓰고 누워있었다. 옆에선 의사가 말했다. 비 때문에 발견이 늦어졌고, 그래서 피를 너무 많이 흘렸다고. 죄송하다고 연신 말했다. 그러면 뭐 해요. 엄마는 이미 죽었는데. 우리 엄만 남을 살리던 사람인데, 자기 목숨보다도 환자를 우선시했던 사람인데 이런 사람이 왜 죽어요. 정신이 하나도 없었다. 분명 어제까지 멀쩡하게 살아있던 엄마였는데, 나에게 살갑게 인사해 주던 엄마였는데 이젠 얼마 안 가서 몸이 굳어버릴 거라는 사실이 어이없었다. 나는 이제 엄마의 온기를 두 번 다시 겪지 못하는데.

나는 엄마가 죽은 후로 지나치게 바빠졌다. 하루에 몇십번도 더 엄마의 죽음을 입에 올리며 전화를 받았다. 삶에 지쳤다. 엄마를 몇 번이고 떠나보냈다. 남들에게 전하는 엄마의 죽음이 소름 끼쳤다. 원래 남겨진 사람은 이렇게 힘든 걸까. 고작 17살의 나이였다. 17살에 엄마를 보냈다. 나는 상처를 무덤덤하게 방치했다.

언젠간 피가 굳겠지.

피가 굳으면 아프지 않겠지.

시간이 해결해 주겠지.

나는 감정을 숨기는 법을 스스로 배웠다.

내가 항상 밝은 모습이어야 한다고 스스로 되새겼다. 엄마가 그랬던 것처럼. 엄마의 죽음은 자신에게만 슬픈 일이 아니었으니까, 모두 제 몫의 슬픔을 씻어내리고 있었으니까. 누구에게도 쉽게 기댈 수 없었다. 제 몫만으로 벅차 보이는 사람들에게 감히 내 슬픔까지 감당해달라고 할 용기가 없었다.

기대지 말자, 밝게 지내자.

나는 언젠가부터 이 말을 하루에 몇십 번씩 되뇌었다. 웃는 얼굴이 습관이 되었다. 웃는 것도 억지라는 단어와 맞물리니 버거웠다. 애써 밝게 살아오며 잠깐 뒤를 돌았을 땐 나에게 따라붙은 그림자가 너무 컸다. 그림자의 어둠은 너무 짙었고 빨려 들어갈 것만 같았다. 빨려 들어가면 영영 빠져나오지 못할 것 같았다. 아무것도 보이지 않는 어둠에 이대로 갇혀버릴 것 같았다.

언젠가 나도 저 어둠에 삼켜지면 어떡하지.

그때부터 항상 쫓기듯 살았다. 잡아먹히지 않으려고 날마다 버거웠다. 얼마나 더 커져 있을지 모를 그림자가 두려워 뒤돌아보지도 못했다. 나를 더 들여다볼 시도조차 하지 못했다.

여름은 항상 그랬다.
너무 많은 일들이 일어나는 계절이다.

꽤 잊고 살았다고 생각했는데 엄마는 안 오냐는 그 말에 다시 기억이 상기되었다.

나는 엄마를 보내고 한동안 몸이 예전 같지 않았다. 멍을 때리는 일이 많아지고 쉽게 지치기 시작했다. 어떤 일에도 흥미가 생기지 않았다. 하루는 침대에 누워서 아무것도 하지 않았다가, 하루는 토할 때까지 먹기도 했다. 점점 감정의 변화가 무뎌졌고 어느 순간부터는 아무것도 먹지 않았다. 그냥 그대로 살 수 있을 것 같았다.

보다 못한 아빠가 억지로 밥을 먹였고, 나는 뱉어내기를 반복했다. 아빠는 그 이후로 일을 그만뒀고, 저녁 먹을 시간이면 항상 집으로 와 내 끼니를 챙겼다. 그게 다였다. 엄마가 죽고 바뀐 건 그저 그게 다였다.

그러다 문득 나는 생각했다. 내가 왜 살고 있는 걸까.

이렇게 살 바에 그냥 죽는 게 낫지 않을까?

그러나 죽고 싶지는 않았다.

엄마 몫까지 되도록 아주 오래 살고 싶었다.

아주아주 오래.

누군가 죽으면 남겨진 사람들이 힘들다는 걸 알았으니까. 내가 죽으면 남겨진 아빠가 힘들 테니까. 그리곤 생각했다. 만약 더 이상 살아갈 수 없을 날이 온다면 그냥 이 세상에서 사라지고 싶다고. 그러니까 죽을 것 같으면 그냥 도망쳐버리자고. 아무도 모르게, 기억해 주는 사람도 없는 채로. 그 누구에게도 내가 겪은 아픔을 겪게 하고 싶지 않았다. 죽는 모습을 보는 것보단 그냥 사라지는 게, 죽었는지 살았는지도 모르는 게 더 낫지 않을까.

나는 지금까지도 종종 과거를 떠올리며 나에게 묻는다. 지금쯤이면 사라져도 되지 않을까, 이젠 그만 밝아도 되지 않을까 하고.

나는 결국 이 세상은 아닐지라도 내가 살던 사회에서 멀어져 왔다. 아무도 없을 작은 마을로 그렇게 도망쳤다. 나는 지금도 생각한다. 이젠 영영 사라져 버리고 싶다고.

그럼에도 거울을 보며 활짝 웃는 연습을 한다.

엄마가 밉다. 보고 싶었다.

*

있지… 난 여름이 싫었다? 아니, 너 말구 계절.

점심을 먹지 않았던 날, 학교 뒤편의 계단에 쪼그려 앉아 가만히 하늘을 바라보고 있던 날, 내 어깨에 기대어 있던 너에게 내가 말했다.

너는 짧게 되물었다. 왜?

여름은 덥기만 하잖아. 장마는 길고 꿉꿉함은 사라지지 않으니까.

나는 여전히 하늘을 바라보고 있었다. 여름이 이 마을로 온 지 일주일째 되던 날이었다. 여름은 나를 보고선 내 손을 잡았다. 눈이 마주쳤다. 너는 맞잡은 내 손에 이마를 얹고 말했다.

나도 여름이 싫어. 내가 너무 더워지거든. 그래서 나는 비 오는 게 좋아. 엄마가 비 오는 날 죽었는데……비가 좋아. 비만 오면 숨이 쉬어지거든.

나는 아무 말도 할 수 없었다. 공감하기엔 겪지 못한 일이었다. 비 오는 날도 좋아하지 않았다. 너는 이어서 말했다.

여울아. 계절은 견디는 거래. 우리가 계절을 바꿀 수 없으니까 그저 견디는 거래. 이번 여름은 견뎌내자. 같이 이 여름을 견뎌내자.

여름의 얼굴이 잘 보이지 않았다. 아마 슬펐겠지. 엄마 죽음을 입에 올린다는 건 한 번 더 떠올린다는 거니까.

가끔 생각한다. 어떻게 했어야 지금 네가 내 옆에 있었을까. 내가 너의 말에 같이 울음을 참으며 고맙다고 해야 했을까. 아니면 그러지 말라고 다그쳤어야 했을까. 아직도 모르겠다. 분명 견뎌내자던 너였는데 나만, 너 없이 나만 남았다.

언젠가 나는 사실 여태껏 너 같은 사람을 기다려 온 게 아닐까, 너는 때마침 나에게 와준 특별한 사람이 아닐까, 했었다. 네가 마치 여름을 싫어하는 나를 부정하듯이 일부러 내 앞에 나타난 것 같았으니까.

여름이라는 이름을 가진 너, 그러나 여름을 싫어하던 너,

그리곤 그 여름을 견뎌낼 수 있는 너.

내가 싫어하는 계절을 보내줄 수 있는 사람.

조금 더 지나 여름 특유의 산뜻하지만 축축한 냄새가 마을을 덮었을 때, 나는 너를 다르게 바라보기 시작했다. 어쩌면 내가 느낀 너는 여름날의 따스한 햇빛이었을까. 어느새 나는 계절의 감각이 희미해짐을 느꼈다. 내가 보내고 있는 계절이 싫어하던 계절이라는 사실도 잊어버리기 시작했다.

넌 진짜 특별한 사람이 맞았나 봐.

*

어릴 때부터 여울의 옆집에는 강우가 살았다. 둘은 옆집이라 항상 만났다든가, 부모님끼리 친해서 자주 모였다든가 하는 그런 소꿉친구이긴 했으나 친하진 않았다. 둘 다 내성적인 탓도 있었지만 서로가 서로에게 큰 관심이 있지 않았다. 강우와 여울은 여름이 마을에 오면서 자연스레 말을 트게 되었다.

다니던 학교를 자퇴한 강우는 똑같은 방향에서 같이 하교하고 있는 여름과 여울을 매일 마주쳤다.

강우는 신기했다. 여울이 저렇게 남과 웃으며 대화하는 모습을 처음 봤다. 동시에 여름이 궁금해졌다. 강우가 처음 그 둘을 마주쳤을 때, 여울은 강우를 지나쳤다. 강우는 여울이 자신을 지나치는 그 찰나의 시간에 많은 생각이 들었다. 우리가 인사도 못 나눌 사이였나. 어쩌면 오기라는 말이 맞았다. 강우는 일부러 자신을 지나치니 괜히 놀려주고 싶었다. 그래서 그다음 날엔 크게 인사를 했다. 소리가 커 주변에 울리자, 여울은 마냥 인사를 무시할 수는 없었는지 애써 인사를 하는 모습을 보고선 뭔가 기분이 이상했다. 한순간에 붕 떠올랐다가 살포시 내려앉은 것 같은 기분이었다.

변명을 해보자면 강우는 여울과 대화가 하고 싶었다. 제 어린 시절에 남아있던 여자아이의 잔상이 언제부턴가 확 멀어져 보이지 않게 되었을 때 강우는 이유 모를 허전함이 있었다. 미성숙한 감정들을 정리하기 힘들어 정의하지 못한 채 마음 한편에 버려둔 그 감정을 정리하고 싶었다.

반면 여울은 강우를 마주치면 어떻게 해야 할지 잘 떠오르지 않았다. 인사를 하기엔 우리 사이가 애매하지 않나. 그래서 강우가 제게 인사를 했던 날은 뭔가 이상한 기분이었다. 처음엔 나보고 한 인사가 아닌 줄 알아서 주변을 둘러보니 아무도 없었다. 그저 '왜?' 라는 말이 입안을 맴돌았다.

생각해 보면 강우와는 크게 말을 섞어본 적 없었지만 같이 놀았던 기억들이 마냥 나쁘지는 않았다.

알 수 없는 마음이 요동쳤다. 여전히 미성숙한 감정들을 깨닫지 못하는 나이였다. 여울은 생각이 많아졌다.

여름이 오고 바뀐 것들이 많았다.

작년 이맘때쯤엔 어땠더라…

아 생각났다. 작년 여름은 정말 끔찍했어.

작년 여름에 강우는 자퇴했다. 학교에 다니는 것보다 자전거를 타고 마을을 돌아다니는 시간이 더 행복하다던가, 이젠 여름이라 자전거를 타 줘야 한다든가 하는 그런 가벼운 이유로 말이다. 어쩌면 어떤 일에 있어서 이유가 항상 무거울 필요는 없다. 가벼운 이유가 결코 그 일들을 받쳐주지 못하는 게 아니기에. 강우는 그랬다. 자신을 온전히 믿고 남들까지도 자신을 믿게 하는 그런 힘이 있었다. 강우의 부모님도 크게 반대하시지 않았다. 강우는 그렇게 시원하게 자퇴했다. 고등학교의 첫 여름을 반기는 바람이었다.

여름에 시원한 바람만 불면 얼마나 좋을까. 여름엔 항상 장마가 껴있었다. 하늘이 흐릿해지고 공기는 습해지는 그런 날이 며칠 동안이나 이어지는 시기. 강우가 시원한 바람을 몰고 왔다면 여울은 장마를 온전히 겪었다. 여울은 장마가 싫었다. 어릴 때부터 싫었다. 여름이라는 계절은 왜 있는 걸까. 라는 생각도 해본 적이 있다. 그 정도로 여름이 싫었다. 사람들은 뭐가 좋다고 이런 여름을 반기는 거야?

찝찝해. 기분 나빠.

사실 여울에겐 발목에 작지 않은 흉터가 있었다. 감전 사고에 의한 화상 흉터였다. 발목을 감고 올라온 흉터들을 볼 때면 여울은 누군가 자기 발목을 붙잡는 상상을 했다. 도망치지 못하고 벗어날 수 없는 그런 상상. 계속해서 자신을 끌어내려 그 장마에 계속 가둬둘 것 같은 상상.

아무도 없던 집에서 어린 여자아이는 감전의 아픔을 고스란히 장마의 탓으로 넘겼다. 이 빗물들만 아니었으면 이런 흉터도, 아픔도 겪지 않아도 됐을 텐데.

아, 지금 생각해 보면 그냥 이유가 되어준 걸지도 모르겠다. 여울은 오히려 이 상처를 핑계 삼아 자신의 불만을 쏟아낸 것일지도 모른다. 흉터는 그저 모든 불만을 원망할 수 있는, 살아가며 숨이 막힐 때 한 번씩 그 숨을 몰아쉴 수 있는 구멍일지도…

작년의 여름은 유난히 덥고 장마가 길었다. 자신이 좋아하던 옷이 빗물에 쓸려 흙투성이가 됐던 날엔 여울은 정말 여름이 사라졌으면 좋겠다고 생각했다. 여름철엔 학교에 가는 것도 더 힘들고 몸이 축축 처지기만 했다. 틈만 나면 습기에 젖어 얼굴에 들러붙는 머리카락도, 꿉꿉함과 더위에 숨이 쌓여 막히는 것도 다 싫었다. 옆집 강우는 기분 좋게 웃고만 있던데 여울은 자신한테만 이런 일들이 일어나는 것 같았다. 여름에 기분 좋은 선선함과 꿉꿉한 장마가 있다면 전자는 강우고 후자는 자신인 게 분명하다는 듯이.

생각하다 보니 언제 잠들었는지도 모르게 잠들었다가 눈을 떴다.

기분 좋은 바람이 몸을 감쌌다.
선선하고도 묵직한 초저녁의 여름이었다.
여울은 뭐랄까 작년과 다른 여름을 맞이했다. 잠에 들기 전까지 꿉꿉함과 습한 공기에 머릿속이 어지럽다가도 일어나면 무더운 햇살만이 자신을 비추는, 그 공백이 없었다.

…왠지 여름이 보고 싶었다.

*

월요일. 언제 지나간 건지도 모를 주말을 뒤로하고 또다시 일주일의 시작점에 섰던 날이었다.

곧 있으면 우기가 시작된다는 걸 알리듯 유독 높은 습도와 맑지 않은 하늘이 월요일의 아침을 열었다. 밖에선 사람들이 걸을 때마다 찰박거리는 소리가 나고, 선반에 놓인 식물들은 푹 처진 듯 고개를 숙였다. 여울 또한 코끝에 맺힌 작은 땀방울들을 닦아내며 침대에서 눈을 떴다. 일어나서 숨을 들이마셨을 때 여울은 눅눅한 물을 한 컵 들이마신 기분이 들었다. 불쾌했다. 물을 따라놓고 하루가 지난 뒤 마시는 것 같았다. 그 물 안에 섞인 먼지와 적당히 미지근한 온도까지 마시는 것 같았다. 결국 여울은 들이마신 숨보다 훨씬 많은 숨을 내뱉으며 급하게 나갈 준비를 했다. 꿉꿉한 공기로 가득한 공간을 빨리 벗어나고 싶었다. 그러나 밖은 더 거대한 꿉꿉함의 공간이었다. 집 밖을 나서며 여울은 공기가 무겁다고 생각했다. 수많은 공기와 그 공기 속에 섞인 물방울들이 자신을 찍어 누르는 것 같았다. 분명 여긴 공기가 가득

한데 오히려 물에 빠진 것 같았다. 발을 한 걸음 내디딜 때마다 물속에서 헤엄치는 것 같은 그런 묵직함을 느꼈다.
여울은 여름을 만나서 그날 날씨에 관해 얘기했다.

오늘따라 물속에 깊게 잠긴 기분이야.
왜?
숨이 막혀. 완전 꽉 막힌 건 아닌데, 물이 점점 차오르듯이 막혀. 숨통이 조이는 느낌이야. 근데 몸은 더워. 마치 미지근한 물에 몸을 담갔다가 뺀 기분처럼…. 내가 죽은 풀 같아. 누군가 내 몸을 찢으면 결을 따라서 그대로 찢길 것 같아.

여름은 여울의 얘기를 들으면서 숨을 크게 들이마셨다. 그러고는 여울이 말해주는 느낌을 상상해 보았다. 물이 차오르는 듯한 숨 막힘, 점점 조여오는 숨통, 시들해진 풀, 미지근한 물에 푹 담가진 자신, 그리고 그 물에서 나와 힘없이 걷다가 누군가가 나를 결대로 찢는 상상. 갑자기 바다가 떠올랐다. 바다에 빠진 자기 모습을 떠올랐다. 바다에 빠지면 경험해 볼 수 있지 않을까. 바다는 깊고 파도는 세고 물은 차가우니까, 바닷물이 점점 차오르고 파도가 내 몸을 찢고 차가운 물이 내 몸을 삼키면 나는 그 물속에서 걷는 나를 경험할 수 있지 않을까.

여울은 이유 모를 적막이 여름 주변을 둘러싸고 있는 듯했다.

무슨 생각해?

어?

갑자기 아무 말도 안 하길래.

아…… 그냥 바다에 가보고 싶어서.

여름은 살짝 놀란 기색을 보이더니 금세 살짝 웃으며 말했다. 평소의 여름이었지만 어쩐지 여름의 미소에는 공허함이 껴있었다. 여울은 어딘가 찝찝함을 느꼈다.

여울이 다시 입을 열기 시작할 때쯤,

너 혹시 무슨 일…

있잖아, 바다 보러 가지 않을래?

여름은 여울이 말을 끝내기 전에 말을 꺼냈다. 여울은 뭔가 여름이 숨기려 하는 게 있는 것 같았다. 그러나 들추려고 하지는 않았다. 여울은 아무 말도 하지 않았다. 또 자신이 여름에게 실수할 것 같았다. 여름 또한 대답을 강요하지 않았다. 그저 그렇게 학교에 도착했다.

여울은 수업을 듣는 내내 딴생각을 했다. 아까 여름은 무슨 생각을 했던 걸까…. 학교 수업은 집중이 잘되지 않아서 그저 멍하게 수업을 듣는 척했다. 그러다 창밖을 바라봤을 때 먹먹한 하늘이 아주 낮은 것 같다고 생각했다. 손을 뻗으면 저 하늘에 닿을 것 같았다. 아까 여름이 했던 말이 떠올랐다. 바다를 보러 가지 않겠냐던 물음. 여울은 바다를 상상했다가, 바다에 빠지는 자신을 상상했다. 바다는 예쁘다던데…… 무서웠지만 예쁜 바다라면 갈 수 있을 것 같았다.

바다… 가볼까.

여울은 사실 완벽주의적인 성향이 있었다. 항상 자신을 따뜻하게 대해주지 못하는 것도 자신이 추구하는 완벽함에 스스로가 가깝지 못했기 때문이었다. 항상 무언가를 결정할 때면 망설였다. 작은 행동 하나에도 신중한 건가 싶지만 그런 스스로가 마음에 들지 않았다. 그래서 한 편으로는 낙천적인 강우가 부럽기도 했다. 세상을 둘러보면 사람들은 다 잘 살아가고 있는 것 같은데 저만 삐걱대는 것 같다고 느꼈다. 그럴 때마다 여울은 자신에게 없는 부분을 가진 사람에게 경외심이 들었다. 항상 자신에게 확신이 서 있는 강우를 볼 때면 두려웠지만 부럽다고 생각했다. 특히 강우가 자퇴했을 때 유독 그랬다.

여울과 여름 사이엔 학교가 마칠 때까지 아무 말이 없었다. 집에 거의 다 와 갈 때까지도 둘은 아무런 말도 하지 않았다. 적막이 점점 어색해질 때쯤 강우가 왔고, 여름은 강우를 반기며 강우에게도 똑같이 물었다. 바다를 보러 가지 않겠냐고.

난 좋아

강우가 대답했다.

언제 갈 건데?

강우가 물었다.

그건 아직 모르겠어.

여름이 답했다.

손여울, 넌?

강우가 물었다.

여울은 쉽게 대답할 수 없었다. 또다시 경외심이 들었다. 강우는 바로 결정하는데 스스로는 아직 결정을 내리지 못하고 있었다. 바다를 가고 싶은 건지, 가야 하는 건지, 자신이 어떻게 하고 싶은지를 알지 못했다. 그래도 따라가 볼까? 강우를 따라가면 뭔가 다르지 않을까? 여울은 자꾸 스스로를 의심하게 되다가도 강우를 따라가면 자신도 조금 달라지지 않을까, 자신도 강우 같은 성격을 닮을 수 있지 않을까, 하는 생각이 들었다.

여울은 강우의 눈을 바라봤다. 그리곤 자연스레 자신도 바다를 간다고 말했다. 충동적이었지만 후회하진 않았다. 강우는 그런 여울의 짧은 머리카락을 손으로 쓸며 말했다.

그래, 우리 날씨가 좋을 때 가자.
바다는 햇빛에 비친 모습이 예쁘대. 예쁠 때 보고 오자.

*

비가 끊임없이 내렸다. 본격적인 장마가 시작되었다는 듯 마당의 흙들은 이미 흐물흐물해졌다. 밤낮으로 계속해서 빗소리가 귀에 맴돌았다. 날씨는 항상 습했다. 공기가 무거워지고 차가워졌다. 나는 여름이 오면 종종 비린 꿈을 꿨다. 별다른 느낌은 들지 않았다. 사람들은 당연한 것에 반응하지 않으니까. 사람들은 늘 그렇다. 무뎌진다. 지구가 둥글다는 사실은 이제 누구나 알고 시간은 멈추지 않는다는 것을 우린 당연하게 여기듯이. 꿈도 그랬다. 하루는 눈을 떴더니 바로 앞에 고래가 있었다. 정확히는 고래의 눈이 있었다. 두꺼운 눈꺼풀이 미동도 없는 것을 볼 땐 이 고래가 뭘 보고 있는 건지 궁금해졌다. 고래에게 바다는 푸르지 않다고 하던가. 우리와 비슷한 눈을 가졌음에도 우리와는 전혀 다른 방식으로 세상을 본다던 말이 떠올랐다. 눈도 잘 감지 않는 고래는 왜 쉬지 않고 세상을 보려고 하는 걸까. 희한하게도 그날 잠에서 깼을 때 눈앞엔 고래의 눈이 아른거렸다. 반복해서 고래의 꿈을 꾸다가 어느새 꿈을 꾸지 않고 있음을 스스로 인식할 때쯤 날은 점점 맑아지고 있었다.

날이 맑아지면서 우리는 바다로 갈 계획을 세웠다.
그리 멀지 않은 곳에 바다가 있으니 자전거를 타고 가자.
강우가 말했다.
나는 자전거를 탈 줄 모르는데 어떡하지?
여름이 말했다.
나는 집에 따로 자전거 있으니까 네가 여름이 태워서 와.
내가 말했다.
그럴래?
그러자.
그럼, 강우랑 여름이랑 같이 자전거 타고…

계획은 순조로웠다. 자전거를 타고 바다로 가서 놀다가 돌아올 것. 돗자리를 챙겨가고, 수건도 챙겨갈 것. 위험하지 않게 놀 것.

바다를 갈 땐 계획대로 자전거를 탔다. 여름은 자전거를 타 본 적이 없어서 강우와 함께 타고 나는 혼자 자전거를 탔다. 이것 또한 계획대로였다. 언제 마지막으로 탔는지 기억도 나지 않는 자전거를 꺼내고 패달을 몇 번 밟아보며 괜히 설레는 기분이 들었다. 자전거를 꺼내 달리기 시작했을 땐 나도 모르게 웃음이 자꾸 났다. 속에서부터 터져 나오는 그런 웃음. 참으려고 해봐도 빵 터지는 그런 웃음이 자꾸만 튀어 나왔다. 이게 신난다는 감정일까. 가슴이 간질거렸다. 폐가 부풀어 오르는 것만 같고 심장이 터질 것 같았다.

바다를 가기로 한 건 정말 잘한 일일지도 몰라.

자전거 페달을 밟으면 밟을수록 내가 한 선택이 두렵지 않아졌다. 한적한 도로 위를 달리는 건 생각보다 훨씬 더 행복했으니까. 나는 점점 몸을 스치는 바람들에 내가 날고 있는 듯한 기분이 들었다. 말로 표현 못 할 해방감이었다. 하늘을 나는 기분은 이런 걸까.

바다에 도착했을 땐 해가 한창 내리쬐고 있었다. 바다는 아름다운 거구나 싶었다. 탁 트인 공간이 주는 거대한 울림은 상상을 초월했다. 내가 한없이 작아지면서도 그 바다에 스며들고 싶었다. 끝이 보이지 않는 바다는 바라보는 것만으로도 이렇게 벅찰 수가 있는 거구나.

주변을 둘러보니 사람이 없었다. 거센 파도 소리만 들려오고 있었다. 한여름을 쳐다보니 물속에 들어갈 준비를 하고 있었다. 신발을 벗고, 바지를 걷어 올리고, 소매를 걷고, 머리를 묶었다. 하얀 살결이 드러났다.

강우와 나는 준비한 돗자리를 모래 한가운데 펼쳐 같이 앉았다. 막상 앉으니 엉덩이가 뜨거웠다. 생각만큼 푹신하진 않았다. 아무 말 없이 앉아있으니 주변의 소리가 더 크게 들렸다. 나는 강우를 힐끔 봤다가, 모래를 만졌다가, 다시 하늘을 보기를 반복했다. 이상하게 어디 한 곳에 집중할 수가 없었다.

왜 바다 안 들어가?

조용하던 강우가 먼저 입을 열었다.

아 나는 물에 젖는 거 별로 안 좋아해서. 너는?

나는 사뭇 놀랐지만 아무렇지 않은 척 대답했다.

글쎄. 그냥 너랑 단둘이 대화하려면 지금밖에 없을 거 같아서?

나랑?

응. 너랑은 하고 싶은 말이 많았거든.

그 말을 듣고 나도 모르게 눈을 크게 떴는지 이마가 땅겼다. 당황스러움이 숨겨지지 않았던 것 같다. 너는 내 표정을 보더니 옅게 웃고는 시선을 옮겼다. 생각해 보니 눈뿐만이 아니라 입도 벌어졌던 것 같았다. 나는 그저 아무 대답도 못하고 강우 얼굴을 계속해서 쳐다봤다. 목선이 눈에 들어왔다. 점점 시선을 위로 올렸다. 얇은 턱선, 입술, 끝이 살짝 올라간 코, 그리고 살짝 뜬 눈, 살짝 찌푸린 눈썹, 살짝 부푼 곱슬머리. 나만 너를 쳐다보고 있어서 그런 걸까. 왠지 훔쳐본 기분이 들었다.

넌 나한테 무슨 말을 하고 싶은 걸까.

강우는 바다를 바라보고 있었다. 나는 계속해서 강우를 쳐다보다가 강우를 따라서 바다를 쳐다봤다. 바다를 보면서 다시 한번 오길 잘한 것 같다고 생각했다. 빛에 반사되는 바다는 눈부시게 반짝였으니까. 평소에 알던 바다보다 훨씬 더 예뻤다. 너무 반짝여서 바다 안에 보석이 가득한 것 같았다. 그 반짝임 사이엔 한여름이 있었다. 한여름도 빛이 났다. 영화를 보고 있는 것 같았다. 여름이라는 한 영화를 눈에 담고 있는 것 같았다. 그러다 문득 궁금해졌다.

강우도 나와 같은 풍경을 보고 있을까?
너도 나처럼 여름을 눈에 담고 있을까?

강우와 나 사이엔 또 어색함이 흘렀다.
그러다 강우가 다시 입을 열었다.

우린 왜 더 일찍 친해지지 못했을까?

… 글쎄.

나는 한참을 망설이다가 애써 웃으며 겨우 대답했다.

그마저도 애매모호한 대답이었지만.

나는 계속해서 바다를 쳐다보다가 한여름을 보니 어느새 물에 흠뻑 젖은 채 바다에서 나와 걸어오고 있었다. 머리카락에서 물이 뚝뚝 떨어졌다. 활짝 웃고 있었다. 한여름은 우릴 향해 들어오라고 손짓했다.

들어가 볼까? 바다에 와서는 오길 잘했다고 생각했지만 물에 들어가는 건 다른 문제였다. 젖어서 찝찝하면 어떡하지? 물에 빠지면? 머리가 점점 복잡해졌다. 왠지 나는 지금 꽤 단순한 선택을 망설이고 있는 것 같았다. 나도 모르는 사이에 손톱을 뜯던 나는 틱틱거리며 더 깊게 뜯어지는 손톱을 그저 멈추지 않고 계속해서 뜯고 있었다. 그러다 내 앞에 커다란 그림자가 생기더니 그 그림자가 내 손을 잡아 세웠다.

고갤 들어보니 강우는 이미 일어서서 나를 바라보고 있었다. 나는 뭘 망설이고 있는 걸까. 두려움일까?

강우는 나를 가만히 바라보다 물었다.

두려워? 고작 바다잖아.

고작 바다라니. 바다라서 두려운 건데.

오히려 내가 묻고 싶었다. 넌 두렵지 않아? 어떤 일이 일어날지, 불확실한 미래가 두렵지 않아? 그러나 강우의 얼굴을 올려다봤을 때 그의 표정은 이미 확신이 가득 찬 얼굴이었다. 내 표정은 눈에 들어오지도 않는지 강우는 나를 한참 쳐다보다가 한 걸음 다가왔다.

들어가자 같이.

강우는 망설임 없이 손을 내밀었다.

어……

내가 그의 손을 내려다봤을 때, 강우가 내민 손은 너무나 커서 그 손 너머의 모래가 보이지 않았다. 나는 이상하게 그 손을 잡고 싶었다.

얼른.

강우는 재촉하며 손을 작게 흔들었다.

알 수 없는 마음은 그 마음에 도달할 수 있게 자신을 움직이게 하듯 나는 홀린 듯이 일어섰다. 그리곤 아무 말 없이 손을 잡았다.

너와 나는 발을 맞춰 모래사장을 빠르게 밟았다. 머지않아 내 귀엔 우리의 숨찬 소리가 채워졌고 우리의 발은 어느새 얕은 바닷속에 잠겨있었다. 살면서 가슴이 터질 듯이 뛰어본 적이 있었던가. 스스로 물음을 던지고 나니 나는 신기하게도 물에 담겨 있는 내 발을 하염없이 쳐다볼 수밖에 없었다.

사실 맨발로 모래들을 밟는다는 건 생각보다 푹신푹신하지 않았다. 엄청 부드럽지도 않았고 그저 소금들을 밟는 것 같았다. 생각한 것과는 아주 달랐다. 부드러운 모래는 달려도 한없이 부드럽게 내 발을 감쌀 줄 알았는데 왠지 환상이 깨진 기분이었다. 물에 잠긴 내 발을 보면서도 그랬다. 물이 부드러운 줄 알았으나 생각보단 거칠었다. 파도가 쳐서 그런 걸까.

나는 물속을 걸으면서도 강우의 손을 놓지 않았다. 그리곤 맞물린 너와 내 손을 바라보며 생각했다. 이 손을 놓치고 싶지 않다고. 내가 바라보는 모습은 그저 네 부슬한 머리카락이 흩날리는 뒷모습이었지만 네 표정이 그려졌다. 나는 어쩌면 나도 모르게 네가 웃고 있으면 좋겠다고 생각해 버릴 만큼, 너와 나의 관계가 오묘해졌음을 알아차린 걸지도 모르겠다.

나 혹시 너를 좋아하는 걸까…

생각을 내뱉고 보니 심장이 뛰는 소리가 귀 옆에서 묵직하게 울려댔다. 그래 아마 난 널 좋아하는 거겠지. 나도 모르는 사이에 너를 동경하고 있던 것이다. 나에겐 없는 면들을 가진 너를 진심으로 부러워했으니까.

그러니까 나는 너와 사귀고 싶은 마음이 아니었다. 오직 너의 여유를 좋아했다. 나를 이끄는 네가 뛸 때도, 걸을 때도, 내가 넘어지려 할 때도 내 손을 놓지 않고 잡아줄 것 같아서. 어쩌면 네가 내밀었던 손을 내가 놓치려 할 때조차도 너는 내 손을 놓지 않고 잡아줄 것 같아서 좋아했다.

강우는 한껏 받던 뜨거운 태양을 등지며 나를 바라봤다. 그리곤 해맑게 웃었다.

이것 봐. 들어오니까 별거 아니지?

나는 갑자기 들어오는 햇빛에 살짝 눈을 감으며 네 손을 더 깊게 잡고는 대답했다.

응. 그러네.

… 별거 아니네.

그렇게 나는 나도 모르게 여름을 보내고 있었다.

싫어하던 계절은 이미 어디에도 없었다.
나는 그저 여름을, 단지 여름을 사랑하고 있었다.

*

그날이었다. 지구가 둥글다는 것을 믿게 된 날이. 바다에서 서 있던 네 모습을 본 날이. 아직도 잊지 못할 생생한 기억의 그날이.

바다에서 문득 하늘을 올려다봤을 때 나는 마치 지구가 이곳을 축으로 둘러싸인 것 같았다. 하늘을 보며 항상 평평하다고만 느꼈는데 그곳은 어딘가 굴곡졌다. 꺾인 하늘과 올곧게 비치는 햇살이 이상하리만치 조화로웠다. 괜히 손을 하늘로 뻗어 꺾인 하늘에 대고 하늘을 잡는 시늉을 했다. 꺾인 곳을 따라 시선을 옮기고 발을 옮기다 보니 이미 나는 바다에서 나와 있었다. 그리고 내 앞엔 한여름이 있었다.

한여름은 한참을 그곳에 서 있었다. 뭐에 홀리기라도 한 건지 선명한 햇빛 아래에서 태양을 바라보며 서 있었다. 불러도 대답하지 않았다. 고개를 뒤로 젖혀 태양을 만끽하던 모습은 마치 광합성을 하던 식물 같았다. 나는 그 모습을 함부로 흩트릴 수 없었다. 분명 아까까지만 해도 바닷속에서 웃고 있던 너였는데 어느새 물 밖으로 나가 그늘도 없는 땡볕에 서 있었다. 강우는 바닷속에서 수영을 계속하고 있었고, 나는 하염없이 한여름을 바라봤다. 몇 번 불러보았지만 대답이 없었다.

언제 그 바닷속에서 나온 건지는 보지 못했지만 한여름은 바다의 꽤 깊은 곳까지 들어갔었다. 그 깊은 곳에서 한껏 온화한 표정을 지으며 몸을 맡겼다. 어딘가 편해진 듯한 얼굴이었다. 머리를 끝까지 담가 잠수하다가도 금세 다시 머리를 물 위로 빼꼼 내밀고 물속을 헤엄쳤다. 그러다 시야에서 사라진 것을 알아챘을 땐 한여름은 이미 태양 아래에 서 있었다. 여름의 태양이 얼마나 뜨거운지 알면서도 너는 쭉 서 있었다. 파랬던 입술이 붉게 물들어 갈 때까지 너는 하염없이 태양을 바라봤다.

내 눈엔 네가 타들어 가는 것 같았다.

언제부터 서 있었던 건지, 물이 뚝뚝 떨어지던 머리는 이미 바싹하게 말랐다. 네 피부는 점점 붉어졌고 넌 아무렇지 않게 고개를 젖힌 채 가만히 있었다. 맨발로 아스팔트 바닥에 발을 딛고, 바다에서 나와 바로 태양을 쬔 탓에 살은 이미 껍질이 드러나고, 너는 눈을 뜨지 않고, 나는 그런 너의 모습을 눈에 한없이 담았다. 아니, 선뜻 손이 나가지 않았다는 게 맞는 표현이겠지. 네 길게 늘어진 머리카락과 그 머리카락에 감싸진 몸이 마치 아가미 떼인 물고기 같았으니까. 겉은 멀쩡해 보여도 내가 네 신체에 손을 대면 말라비틀어진 그 촉감이 느껴질 것 같았으니까. 그대로 바스락 소리를 내며 잘게 부서질 것 같았으니까.

내가 네 팔을 슬쩍 잡았을 때 너는 눈을 천천히 떴다. 그리곤 네 팔과 내 손을 번갈아 보며 짧은 탄식을 내뱉었다.

아…… 이제 집에 갈까?

너는 옅게 웃으며 물었다. 나는 아무 말도 하지 않고 고개를 끄덕였다. 잡았던 네 팔은 이미 살갗이 벗겨져 있었다.

*

여름은 어려서도 100미터를 채 걷지 못하고 발이 타는 듯한 고통에 잠시 쉬었다 가기를 반복했다. 원인은 알 수 없었다. 그저 자신이 허약체질인 줄 알았다. 남들도 다 그런 줄 알고 살아오던 여름은 초등학교에 들어가면서부터 자신이 남들과는 조금 다른 것 같다고 느꼈다. 친구들은 다 뛰어놀고 활동적이었지만 자신은 항상 책상에 앉아 뛰어노는 친구들을 창 너머로 흘겨봤다. 그런 탓에 여름은 제대로 놀러 간 게 처음이었다. 그래서 바다를 처음 봤을 때 그 감동을 잊을 수가 없었다. 여름은 고정된 형태 없이 자유롭게 흔들리던 바다를 보자마자 뛰어들고 싶다는 생각이 머릿속에 가득 찼다.

예상대로 바다에 발을 담갔을 땐 너무 시원해서, 발이 타는 것 같던 고통이 차게 식는 것 같아서 너무 행복했다. 시원함이 자기 발을 감싸고 더 깊이 데려가는 것 같았다. 그 뜻에 맞춰 여름은 점점 발걸음을 내디뎠고 어느새 자기 몸은 바다에 푹 담겨있었다. 물이 점점 차오르며 느껴지는 것은 내 몸의 가벼움. 거센 파도가 오히려 포근하게 느껴지는 무력감.

나는 이때까지 어떤 삶을 살아온 걸까…
그리고 삶을 되돌아보며 느끼는 회의감이었다.

어쩌면 여름은 지금의 감정들을 통해 자기 삶과 자기 자신을 더 뚜렷이 성찰하게 되면서 알 수 없는 행복을 느꼈다.

그러나 그 행복도 오래 가진 못했다. 바다에서 나오자마자 느낀 것은 차게 식은 몸이 어는 것 같은 느낌과 함께 오한이 드는 것이었기에. 다시 물에 들어가려 해도 왠지 더 차가운 물 속에서 얼어붙을 것 같았다. 그러다 자기 몸에 햇빛이 비치고, 그 햇볕이 따스함을 느꼈을 때 여름은 홀린 듯이 아무 그늘도 없는 곳을 찾았다. 저 뜨거운 햇빛을 온전히 받을 수 있는 곳이 필요했다. 전신의 피부로 그 햇빛들을 흡수할 수 있는 곳이 필요했다. 마침내 찾은 곳은 바닷가와 조금 떨어진, 아스팔트 바닥으로 되어있는 야외주차장이었다.

여름은 그 한가운데에 서서 한참을 있었다. 살이 타는지도 모르고 그저 추위가 사그라질 때까지 계속 햇빛을 바라봤다. 자신의 겉은 계속 뜨거워지는데 속은 뜨겁지 않았다. 여름은 좀 더 많은 걸 요구하듯 고개를 젖혀 태양을 바라봤다. 눈을 감아도 시야에 환한 빛이 가득 찼다. 그 빛이 너무 밝아서 자신 눈꺼풀까지 비쳤다. 눈을 감아도 느껴지는 붉음에 태양은 역시 붉은색이구나 싶었다. 눈을 계속 감고 있으니 자연스레 다른 감각이 예민해졌다. 여름은 주변 소리에 귀를 기울이게 되고 자기 신체를 훑고 지나가는 바람도 느껴지기 시작했다. 그러다 익숙한 목소리가 몇 번 울렸다. 정확히 들리진 않았지만 어렴풋이…… 누군가 날 부른 것 같았는데.

머지않아 불규칙한 발소리가 들렸고 그 발소리는 점점 가까워졌다. 천천히 걸어와도 될 텐데 괜히 급하게 느껴졌다. 자신을 지나쳐 갈 줄 알았던 발소리는 어느새 들리지 않았다. 내 앞에 멈추어 선 걸까. 자기 팔에 다른 사람의 손이 얹어지는 게 느껴졌다. 여름은 천천히 눈을 떴다. 오래 눈을 감고 있어서 그런가. 주변이 온통 하얬다. 고개를 돌리니 한 형체가 보였다. 나와 비슷한 키에 짧은 머리. 너구나. 여름은 그 형체를 똑바로 마주하며 해맑게 웃었다,

이제 집에 갈까?

그 후론 기억이 잘 나지 않았다. 여름은 강우의 뒤에 앉아 자전거 바람을 느끼면서도 태양 빛을 계속해서 쫓았던 것 같다. 아니, 오히려 태양이 자신을 쫓아왔던 것 같다. 자전거로 달리는 길을 따라 태양이 한순간도 놓치지 않고 계속해서 자신을 비췄으니.

여름은 집에 도착해 자기 방에서 옷을 벗었다. 속옷까지도 다 벗고 거울을 봤다. 옷을 벗은 자기 모습이 이상하게 편해

보였다. 옷이 피부를 덮지 않던 곳은 빨갛게 부어올라 있었다. 그 살들을 조심히 쓸었다. 피부로 피부를 만지는 건데 쓰라렸다.

그렇게 한참을 거울 앞에 서 있다가 책상 앞에 놓인 의자를 끌어 뺐다. 그리곤 그 위에 앉아 책장에 꽂힌 얇은 공책을 하나 꺼내 들었다. 몇 장 넘겨보니 여태껏 자신이 써놓은 글들이 보였다. 종이를 한 장씩 넘기며 그 글을 차례로 읽어보다가 한 장 더 넘기니 아무것도 쓰여있지 않은 쪽이 나왔다. 여름은 그 빈 곳을 펼쳐놓고 생각하기 시작했다.

여름은 전부터 종종 일기를 썼다. 사실 일기라기엔 그저 자신의 감정이 주체가 되지 않을 때나 생각이 너무 많아질 때 글로 적으며 그 생각들을 덜어내는 용도에 더 가까웠다. 일기를 쓰는 행위는 자신에게 쓰레기통의 역할을 했다. 몸에 담아두기 싫은 것들을 종이로 옮기고 그 종이를 모았다. 모인 종이들은 하나같이 다 자신이 가졌던 버리고 싶던 생각들, 주체할 수 없던 감정들이었다. 여름은 일기를 자주 쓰기 시작하면 정말 끝도 없이 자기 생각들을 버리고, 감정들을 지울까 봐 자라면 자랄수록 쓰는 횟수가 줄었다.

그러다 문득 여름은 자신이 바다를 갔을 때 느낀, 자신이 가진 몸 안의 더러운 것들이 바닷물에 씻겨 나가고, 뜨거웠던 열기가 차게 식었던 경험에, 바다에서 살면 어떨까… 하는 생각을 했다.

그리곤 연필 하나 집어 들고서 글을 써 내려가기 시작했다.

나는 여태껏 사람들과는 거꾸로 삶을 살아온 것 같아. 쭉 매달려 있었어. 나만 하늘에 발을 대고 걸었어. 매일 피가 쏠렸어. 머리가 터질 것 같았어. 허리 한 번 숙이는 게 너무 힘들었어. 침 삼키는 게 너무 힘들었어. 나는 그런 삶을 살았어. 하늘에서 발을 떼면 추락인 삶. 그래서 떼지 못한 삶.

발을 안 떼면 모든 행위가 힘들었어. 그래도 거꾸로 걸었어. 죽고 싶지 않았어. 나 스스로 이 세상을 포기하고 싶지 않았어.

나는 중력이 너무 무서워. 나를 너무 무겁게 눌러. 압박해. 땅에 처박게 만들어. 누워있어도 폐가 눌렸어. 엎드리면 땅 속에 박힐 것 같았어. 중력이 너무 무서워. 이 세상이 무서워. 추락하는 삶은 어떨지 궁금해. 나를 누르는 힘에 부딪히지 않고 그대로 눌러지는 삶이 궁금해. 그건 세상을 등지는 행위일까? 이미 세상은 나를 등지지 않았을까? 세상이 나를 등졌다면 나는 세상의 뒤편에서 살아가고 있다는 거 아닐까?

글로 남기니 후련한 느낌보다는 오히려 자신의 처절함이 보이는 기분이라 나빴다. 오랜만에 자신의 더러운 모습을 마주한 것 같았다. 쓰레기를 버리는 행위는 더러운 게 당연했지만, 감정을 버리고 생각을 버리는 행위는 더러운 것을 넘어선 불쾌한 느낌이 들었다.

내가 옷을 벗은 건 나도 모르는 사이에 세상을 너무 무겁게 살았기 때문일까. 아무것도 입지 않은 내 모습이 편해 보였던 건 피부에 닿는 모든 감촉이 불쾌했기 때문일까.

침을 삼키지 못해 입속에 고이는 느낌, 그 미끈거림이 갈증을 농락하는 느낌, 혀가 불어나는 느낌, 입속이 더러운 것들로 가득 차는 느낌. 거꾸로 매달려 있는 나를 우습게 보고 지나치는 사람들, 피가 몰려 빨개진 얼굴을 재미 삼아 찍고 키득거리는 사람들, 나중엔 모두 나와 반대 방향으로 걸어가는 사람들, 세상의 반대편에 홀로 매달려 있는 나. 그런 생각을 계속해서 했다.

여름에 허덕이는 여름.

건조한 시선의 여름.

미련한 여름, 미련한 계절, 미련한 나.

산산이 부서지는 여름, 나.

그리고 바다를 보러 갔을 땐,

시원함에서 오는 후련함과 동시에 이 바다에 잠겨 어두워지면 내가 그리도 바라던 고요가 찾아올 것 같다는 생각, 나는 내 숨통이 끊어질 때조차 아프지 않을 것 같다는 생각. 그 이유가 살아있는 것보다 아프고 힘든 건 없었기 때문일 것 같다는 생각.

이 현실이 그냥 꿈이었으면 좋겠다는 생각.

여름은 다시 한번 생각했다. 이제 떠날 때가 되었을까?

엄만 이런 내 모습을 지금 바라보고 있으려나, 바라보고 있다면 나에게 미안하려나…

여름은 문득 엄마에게도 자신이 뱉어내고 싶은 감정들이 있었다. 썼던 일기를 한 장 넘겨 새로운 빈 종이에 대고 '엄마'를 적었다. 그 단어 하나를 쓰는 게 뭐라고 참 오래 걸렸다. 'ㅇ'을 쓰고 'ㅓ'를 쓰기까지 손을 몇 번이고 종이에서 뗐다가 붙이기를 반복했다. '엄마'라는 단어를 다 쓰니 그다음 쓸 단어들은 술술 나왔다. 감정이 밀려오듯 자기 손도 점점 빨라졌다. 감정이 격해지고 마음속에만 묵혀둔 말들이 튀어나왔다.

엄마,

왜 내 이름은 여름이야?

왜 그런 계절을 나한테 붙였어?

나는 여름이 싫어.

계절이 싫어.

내가 싫어.

있잖아. 엄마.
나, 내 청춘은 꽃이었으면 좋겠다고 생각했어.
시들었지만 향기는 남아있고,
그 향기를 가끔 떠올려 주는 사람이 있는 그런 삶.
청춘…, 우리들의 봄은 얼마나 우리를 밝혀주었을까…
그런 생각을 해본 적이 있어.
내 청춘은 보잘것없었어.
환하게 빛을 내보지도 못했고
추억이 깃든 향수도 되어보지 못했어.
그저 시간이 지나면서 조금은 바라봐 줄 수 있게 된 미화된 기억이었어.
어쩌면 나는 이미 져버린 꽃이었을지도 몰라.
언제 피고 지는지는 몰라도 이름은 알고,
아무렇지 않게 남들의 입에 오르내리며 기억될 수 있는 그런 꽃.

엄마, 내 청춘은 꽃이었으면 좋겠어.
져버린 꽃이라도,
이미 오래전에 사라져 버린 꽃이라도.

내 청춘은 꽃이었을까?

시들었을까?

아, 물속에 핀 꽃이려나.

나는 엄마가 그립지 않아. 슬프지도 않아. 보고 싶지도 않아. 근데 한 번은 엄마가 아직 살아있었으면 어땠을까 싶어. 난 행복했을까? 내가 꽃이라고 생각하며 살았을까? 세상을 똑바로 걸었을까?

나는… 나는 죽어가는 사람이 아니라 시들어 가는 꽃이 될 거야. 피부가 썩고 살이 썩고 뼈만 덩그러니 남는 사람이 아니라, 말라버린 꽃잎이 될 거야. 영원히 향을 품을 거야.

여름은 그 후로 집 밖을 나가지 않았다.

아니, 화장실 밖을 나가지 않았다. 욕조에 물을 받고서 하루 종일 몸을 담갔다. 아무것도 입지 않고 아무것도 먹지 않았다. 그저 물에 잠겨있는 자신의 가벼움에 취해 살았다.

여름의 아빠는 아무 말도 하지 않았다. 그저 지켜볼 수밖에 없었다. 하나뿐인 자기 딸이 욕조에서 나오질 않고 아무것도 먹질 않아도 그 무엇도 나무랄 수 없었다. 여름의 눈이 진정으로 자신이 그걸 원한다고 말하고 있었으니까. 여름의 아빠가 할 수 있던 최선은 그저 자신의 집을 찾아오는 여울과 강우를 돌려보내는 것밖엔 할 수 없었다.

이유 없는 변명, 통하지 않는 거짓말, 애써 웃어 보이는 여름의 아빠. 여울과 강우는 꽤 여러 번 여름의 집을 찾아갔음에도 여름은 얼굴 한 번 보여주지 않았다. 왤까. 왜 너는 갑자기 모습을 감춘 걸까. 바다가 문제였을까.

강우와 여울은 둘만 있는 시간이 많아졌다. 분명 너와 나 둘이 얘기할 상황은 그 모래사장에서밖에 없을 줄 알았는데 이젠 넘쳐났다. 그러니까 우린 셋이 아니라 둘이 됐다. 더 이상 '우리'에 한여름이라는 이름은 어색해졌다.

여름은 욕조에 잠긴 채 매번 혼잣말했다. 왜 그런 말들을 내뱉은 건지는 잘 모르겠다. 그저 물속에 있는 시간 동안 쉬지 않고 말했다. 이대로 말을 멈추면 어느새 자신이 물속에서 뻐끔거리고 있을 것 같아서? 눈을 뜨면 아무것도 선명하지 않고 푸르게만 보일 것 같아서?

모른다. 이렇게 말해야만 자신의 상태를 단정 지을 수 있던 건지, 이렇게 단정 지어야만 했던 건지.

집 밖을 나가기가 싫어.

걷기가 싫어.

옷을 입기 싫어.

무거워서 아무것도 입기 싫어.

다 벗고 욕조에 물을 받고서 하루 종일 몸을 담갔어.

물속에 있으면 중력이 잘 안 느껴져서 좋아.

바다가 생각나서 좋아.

내가 잠길 것 같아서 좋아.

나는 물고기를 추앙해.

지느러미가 달렸으면 좋겠어.

물속에서도 숨을 쉴 수 있게 아가미가 생겼으면 좋겠어.

나도 바다를 헤엄치고 싶어.

*

사정을 물어도 미안하다고만 했다. 나는 점점 참을 수 없었다. 친구잖아. 이유 정도는 알려줄 수 있는 거잖아. 더 이상 기다리고만 있을 수 없었다. 나는 오늘 꼭 한여름을 만나야만 할 것 같았다. 아저씨의 팔을 쳐내고 억지로 여름의 집에 들어갔다. 아저씨는 내심 이런 일이 일어나길 바란 것처럼 세게 저항하지 않았다.

화난 걸 티라도 내듯이 숨을 씩씩 몰아쉬며 집 안을 살폈다. 집이 깨끗했다. 몇 주를 집에서 나오지 않은 사람이 있는 집치고 너무 잘 정돈되어 있었다. 왠지 불안해져 방문을 다 열었다. 방마다 들어가서 여름을 찾았다. 여름의 방에도 여름은 없었다. 그러다 물소리가 났다. 가득 차 있는 물이 일렁이며 나는 소리, 물방울이 튀어 바닥에 얇게 부딪히는 소리. 나는 바로 화장실로 향했다. 그리곤 문을 열었다. 열린 문 너머에는 나체의 여름이 있었다. 작은 욕조에 한껏 몸을 웅크리고 물에 잠겨있었다.

… 너 여기서 뭐 해?

몰아쉬던 숨이 바람 빠지듯 빠져나갔다. 힘도 빠져나갔다.

여름은 아무 말도 하지 않았다. 그저 옅게 웃었다. 여름의 표정은 분명 웃고 있었지만 눈빛은 고요했다. 그 고요함엔 한기가 서려 있었다. 그저 그 한기에 입이 떨어지지 않았다.

여름이 먼저 입을 뗐다.

무슨 일이야?

무슨 일이냐니. 너……

여울아, 나 물이 좋아. 편해. 여기서 쭉 있고 싶어.

여름의 몸이 예전 같지 않다는 것을 느꼈다. 한눈에 봐도 알 수 있었다. 물속에서 얼마나 오래 있었는지 다 벗겨진 살갗이 눈에 들어왔다. 손가락, 발가락이 쭈글쭈글해지고 몸은 퉁퉁 불어있었다. 그럼에도 비쩍 마른 체구가 보였다. 살이 너무 연해져서 뜯으면 그대로 뜯길 것 같았다. 그 욕조 안에 물고기가 살았다면 네 살을 뜯어 먹고 있었을 것만 같았다. 도대체 바다가 뭐라고 이 좁은 곳에서 바다를 흉내 내고 있는 건지, 네 아빠는 이런 널 보면서 말리지도 않았는지.

나는 깊게 심호흡을 하고 다시 말을 이었다.

너 평생 물에서만 살 거 아니잖아. 물이 뭐가 좋아. 물속에선 숨도 못 쉬는데. 너도 물에서만 평생 살 수 없단 거 알잖아. 근데 뭐하냐고.

여름은 아무 말도 하지 않았다. 눈을 마주치지 않던 그 표정이, 그 표정 안에 담긴 수많은 감정이 내 속 깊이에 물들어 가는 것 같았다.

너 진짜 왜 그러는 건데. 말을 좀 해. 뭐 때문에 그러는 거야.

눈을 감으면 파도 소리가 들려. 그 소리가 내 귓속을 완전히 채울 때… 마치 몸이 붕 뜨는 것만 같아서, 한없이 가벼워져서… 바다가 나를 불러. 매일매일. 나 바다로 가고 싶어.

데려다줄게. 가자. 다시 갔다 오면 되잖아. 그게 뭐라고.

그냥 갔다 오는 거 말고…… 영원히 가고 싶어. 여울아.

나도 모르게 눈물이 맺혔다. 왜 자꾸 내가 알던 네가 아닌 것 같이 굴어. 왜 잡히지 않을 것처럼 말해. 왜, 도대체 왜 붙잡지도 못해보고 널 보낼 것 같게 해.

너를 못 봤던 그 몇주가 나에게 죄지었다고 말하는 것 같았다. 내가 조금만 더 빨리 너를 찾고, 너와 더 많은 얘기를 하고, 무슨 일이 있었던 건지 알았어야 했다. 네 표정에 숨겨진 그 무거운 일들을 다 끄집어내서 너와 하나하나 굵은 매듭을 풀어갔어야 했다. 네가 물에서 몇 날 며칠을 불어가고 흐물거려져 가고 그 물에 스며들 동안 나는 네가 없는 날들에 익숙해지지도, '우리'에서 너를 배제하지도 말았어야 했다. 고개를 돌려 아저씨를 쏘아봤다. 이기적인 내가 고작 할 수 있는 건 아저씨한테 따지고 비난하기였다. 왜 아저씨는 얘가 이 지경이 될 동안 보기만 했어요. 도대체 왜.

아저씨는 죄지은 사람처럼 고개를 숙이곤 주름진 손으로 자기 얼굴을 매만졌다. 근데 저러면 아저씨가 죄지은 게 맞는거라고 인정하는 거 같잖아. 자기도 어쩔 수 없었다고 말하는 거 같잖아.

그대로 집을 나왔다. 다리에 힘이 제대로 들어가지도 않았다. 뛰고 싶은데, 뛰어서라도 이 잡생각들을 다 떨쳐버리고 싶은데 뛰어지지 않았다. 내가 한순간에 끌렸던 여름은 어디에도 없었다. 그냥 낯선 사람을 만난 기분이었다. 바다가 문제였던 걸까, 바다를 가서는 안 됐던 걸까, 너무 후회돼. 모든 순간이 다 내 잘못 같아. 바다에 들어간 너를 영화로 봐서는 안 됐어. 어울리지 않는다고 생각했어야 했어. 그 바다에 내가 들어가선 안 됐어. 강우 손을 잡았으면 안 됐어. 그 손을 놓지 않겠다고 생각해선 안 됐어. 태양 아래에 서 있던 너를 잡아선 안 됐어. 그냥 그대로 뒀어야 했어. 다 내 잘못이야. 바다가 이 세상보다 좋다고 생각하게끔 해버린 내 탓이야. 물에 들어가 있던 너를 빼주지 못한 내 탓이야. 빼낼 용기도, 시도조차도 없던 내 탓이야. 모두 내 탓이야.

아니, 내 탓이 아니야. 전부 네 탓이야. 나를 등지려는 네 탓이야. 바다가 이 세상보다 더 좋다고 생각한 네 탓이야. 물에 들어간 네 탓이야. 바다를 가자고 한 네 탓이야.

…우리를 이 세상에 살게 한 모든 것들의 탓이야.
너와 나를 이렇게 살게 한 모든 것들의 탓이야.

*

여름이 이상해.

갑자기? 왜?

모르겠어. 우리가 알던 여름이 아니야.

여름을 만났어? 어디서?

찾아갔어. 방에도 없고 거실에도 없었어. 화장실에만 있었어. 작은 욕조에 몸을 구겨서 들어가 있었어. 물이 좋대. 나오기가 싫대. 바다로 영원히 떠나고 싶대.

강우는 여울의 표정이 무너져 있다는 것을 알았다. 그 무너짐은 위로하려는 시도조차 이 애의 모든 것을 무너져 내리게 할 것 같이 위태로웠다. 강우는 그런 여울을 보며 솔직히 답답했다. 자기 눈으로 여름의 상태를 보지 못했으니 이해하기도 어려웠다. 몸을 틀어 여름의 집을 향하려던 그 순간 여울이 자기 옷 끝자락을 잡아당겼다. 강우가 여울을 쳐다봤을 땐 여울은 얼굴을 숙인 채 고개를 계속해서 좌우로 흔들고 있었다. 땅바닥엔 수많은 눈물자국이 보였다.

뭐 때문인데. 내가 찾아가 볼게.

여울은 다리에 힘이 풀려 그 자리에 쭈그려 앉았다. 손이 너무 떨려서 턱 밑으로 흐르는 눈물들조차 제대로 닦아낼 수 없었다. 분명 이 정도는 아니었는데 입 밖으로 내뱉으니 감정이 주체가 되지 않았다. 강우는 여울을 따라 쭈그려 앉아서 여울의 손을 잡았다. 여울은 목이 나간 채 겨우 입을 열었다.

안 돼…… 강우야 안 돼. 찾아가면 안 돼.

안 될 거 같아. 더 이상 찾아가면 여름이 정말 사라질 것 같아. 진짜 너무 불안해. 나, 이대로 여름을 보내기가 싫어. 너도 그렇지? 여름을 보내면 안 되잖아.

그렇지?

*

여름은 자기 자신을 지우고 싶었다. 새로 태어나고 싶었다. 끝없는 길을 계속해서 걷고 있는 것 같았다. 아무도 없이, 바람도 불지 않는 허허벌판을 아무런 목표도 없이 계속해서 걷고만 있는 것 같았다. 더는 이런 곳에서 살고 싶지 않았다.

자신이 빠졌던 바다는 터무니없이 맑았다. 내려가도, 내려가도 너무 환했다. 하늘을 떠다니는 것 같았다. 묵직하지도 숨이 막혀오지도 않았다. 계속해서 가라앉는 자기 몸은 나른해지고 가벼워졌다. 꼭 물방울들을 가득 끌어안은 느낌이 들었다. 온 세상이 물속인 곳은 없을까. 나를 품고도 공간이 남아나는, 그런 넓은 공간은 없을까. 이 욕조는 너무 좁아서 시간이 지나면 지날수록 나를 가두는 것 같아. 자유로운 삶을 원해. 중력도, 좁은 공간도 나를 어떻게 하지 못하는 곳을 가고 싶어.

생각해 보면 늘 푸른 건 하늘 같았다. 푸른 색종이 하나에서도 나는 방대한 하늘을 보았으니까. 이 하늘은, 우리의 세상은 거대한 푸른 색종이로 감싸진 것 같았다. 그날 본 바다도 하늘 같았다.

바다로 가고 싶어.

여름은 이젠 정말 떠나도 좋을 것 같았다. 막상 떠나면 어디를 가야 하고, 어떻게 모두에게서 사라져야 하는지 막막했는데 뚜렷한 목적지가 생기니 언제든 떠나도 될 것 같았다, 아니 지금 당장이라도 떠나고 싶었다. 여름은 아무도 깨어있지 않을 한밤중에 종이를 한 장 꺼내 무언가를 적기 시작했다. 좋게 말하면 편지, 그냥 말하면 통보문에 지나치지 않는 그런 글을 쓰기 시작했다. 분명 마음을 다잡았을 때도 아무렇지 않았는데 막상 영영 자신의 과거에서 떠나온다는 생각하니 눈물이 살짝 고였다. 그러나 멈출 수 없었다.

그 종이에 끝내 마침표를 찍고 거울을 보았을 때 여름은 엄마를 잃고 처음으로 자신의 솔직한 감정과 마주했다. 웃음기 하나 없는 얼굴, 그러나 묘하게 편안하고 확신이 가득찼던, 그런 얼굴이었다.

여름은 그렇게 집을 나왔다. 아무것도 챙기지 않았다. 그리곤 정말 아무도 없고 끝도 보이지 않는 길을 걸어갔다. 보이지 않던 끝이 바다일지, 여전히 우리들이 살고 있는 사회일지는 여름조차도 알지 못했다. 그저 여름은 자신이 떠날 때가 되었다고 생각했다.

아빠, 나 떠날 거야. 바다에 가고 싶어.

만약 내가 떠나면, 나라는 사람이 사라지면 아빠도 조금은 마음이 편해질까? 내가 죽는 모습을 보지 말고 어디선가 내가 살아있다고 생각하면서 살아가면 괜찮지 않을까? 나, 죽지 않을게. 엄마보다 오래 살 거야. 쭉 살아있을게. 아빠가 죽을 때까지도 살아있을게. 아빠가 죽어도 난 여전히 살아있을게. 그러니까 아빠도 꼭 오래 살아. 미안해.

다음 날, 아무렇지 않게 여름의 방문을 두드리던 여름의 아빠는 아무 기척도 느껴지지 않던 방문을 열었을 때 이미 눈물자국이 다 말라버린 채 덩그러니 놓인 종이를 발견했다. 지난 몇 주 동안 봐왔던 자신의 딸, 물에 불린 살들이 연해져 껍질이 벗겨지고 쭈글쭈글해진 모습, 그러나 차마 물에서 나오라고 할 수 없었던 자신이 계속해서 떠올랐다. 물속에서 안식을 찾던 너, 그리고 더 큰 안식을 찾아 떠난 너, 너는 나를 배려한 걸까. 그저 너를 위해 떠난 걸까. 여름의 아빠는 여름의 온기가 느껴지지 않는, 그러나 모든 게 그대로인 여름의 방에서 쉴 새 없이 떨어지는 눈물들을 움켜쥐려 애쓰며 한동안 그 방을 나올 수 없었다.

이젠 여름이 다 가버린, 완연한 가을이었다.

여름이 사라진 지 닷새가 넘었다. 여름의 아빠는 분명 죽을 듯이 슬프고 괴로웠는데 지금은 어이없게도 후련하다고 느꼈다. 여름의 엄마가 죽고 난 후의 여름은 갑자기 다른 사람 같다고 느꼈으니까, 가면을 쓰고 있는 것 같았으니까, 웃을 때마다 묘한 기시감이 들었으니까. 그러니까 그 닷새 동안 흘렸던 눈물은 자신도 모르던 부성애였을지도 모른다.

넌 네가 원하던 곳으로 갔잖아. 나를 버리고, 이 세상을 버리고 바다로 갔잖아. 그러니까 아빠는 너를 찾지 않을 거야. 제대로 해준 것도 없으니까 아빠는 널 잊을 거야. 네가 오래 살아있을 거라고 생각하고 아빠도 오래 살 거야. 넌 아빠가 죽고도 오래 살아남아서, 좁아터진 욕조가 아니라 넓은 바닷속에서 오랫동안 숨을 쉬면서 살아. 꼭 그렇게 살아.

여름아…… 내 예쁜 딸 여름아…

지금에서야 하는 네 그 여린 손으로 써둔 글에 대한 답은,

응. 편해지는 것 같아. 네가 사라지니까 편한 것 같아. 살아있을 거라고 생각하게 되니까 편해지는 것 같아. 그 지겨운 불안함이 눈앞에서 사라지니까 편해졌어. 넌 아빠를 배려한 거였네. 그래서 떠나간 거네. 그렇지?

고마워.

미안해.

… 잘 가.

*

이제 이 마을에 한여름이라는 사람은 없다. 나는 그 사실을 너무 받아들이기 어려웠다. 여름의 아빠한테서 얘기를 전해 들었을 때 나는 그런 생각을 했다. 내가 또 찾아와서 나를 쫓아내려고 그런 거짓말까지 하는 거구나, 그만큼 넌 물이 좋구나, 나오기가 싫은 거구나.

그러나 여름의 아빠가 작은 종이를 보여줬을 땐,

아… 이미 여름이 여기 없음을 말하고 있는 거구나.

이건 어떤 감정일까. 허무함? 배신감? 무력감? 거부감?…… 뭔가 자꾸 스멀스멀 올라왔다. 너는 분명 우리의 계절이었는데 이젠 너만의 계절이 돼버린 것이 이상하게 이질적이었다. 그러니까 내 말은 여름이 사라졌다는 사실이 받아들여지지 않았다. 이건 뭘까. 가슴이 아린 기분이 들었다.

나도 언젠간 여름을 나의 계절로 받아들일 수 있을까….
아리던 가슴은 이상하게 또 속이 불타오르는 느낌이 되어가고 자꾸만 눈앞에 아른거리던 이유 모를 향… 향이었나. 향은 아닌데… 적어도 오감으로 느낄 수 없는 그런 게 자꾸 아른거렸는데, 뭐랄까. 이건 또 하나의 감정인 걸까.

아 너무 어렵다.
그냥 네가 있던 여름이 그리워.
아무 생각 없이 편하게 웃고 즐거운 일만 가득하던 그때가 너무 그리워. 내가 여름을 그리워하게 될 줄은 몰랐어. 가장 싫어하던 계절을 간절히 바라게 될 줄 몰랐어.
지금 가면 바다가 아주 차가울 텐데 그럼 넌 돌아오지 않을까? 늦가을엔 바다가 차갑잖아. 넌 추운 거 안 좋아하잖아. 태양 아래에 서 있어야 하잖아.

나는 그 종이를 보고 한동안 잠을 자지 못했다. 자고 일어나면 여름이 떠나간 날에서 계속 멀어지는 것 같았다. 멀어지고 싶지 않았다. 잠이 와도 절대 자려고 하지 않았다. 잠들지 않으려고 애썼다. 머리를 뜯고 손톱을 물어뜯었다. 이미 손톱은 손가락에 바짝 붙어 물어뜯을 것도 없는데 계속해서 뜯었다. 피가 나면 안심했다. 나는 아픈 감각이 무뎌져 갈 때쯤 기절하며 잠에 들었다. 그 종이를 본지 3일째 되던 밤이었다. 자고 일어났을 땐 밤이었다. 나는 내가 잠깐 잠들었다고 생각했다. 하루를 꼬박 잠들어 있던 건지도 모르고.

그러나 내 손가락에 감각이 느껴지는 것을 보고 시간이 꽤 지났음을 알았다. 그 후로 나는 물컵에 물을 가득 따라둔 것 같은, 위태롭지만 잔잔한 사람이 되었다. 감정의 큰 변화가 사라지고 입에 죽음이라는 단어를 머금었다.

나는 죽음이라는 그 단어를 결코 삼키지 못하고 계속해서 씹었다. 목 너머로 넘겨지지 않았다. 죽음은 영영 입 안속에서 머물며 내 작은 입질에도 몇 번이고 씹혔다. 무슨 일이 있어도 죽음이라는 생각이 쉽게 다가왔다. 죽음의 찰나를 셀 수 없이 경험하고 있었다. 그러다 어느 순간 뭔가 끊어지는 듯한 느낌을 받았다. 감정의 끈이었을까, 이성의 끈이었을까, 어쩌면, 정말 어쩌면 너와 내가 연결된 무언가가 끊어진 걸까.

그날 나는 왠지 다정한 비를 가득 맞은 것 같았다.

너무 포근하고 다정했던 비를 내 머리끝까지 잠기도록 맞은 것 같았다. 이때까지 겪었던 끔찍한 장마는 생각도 나지 않았다. 그렇게 생각도, 감정도 잠겼다.

나는 여름을 잃고 너무 많은 목소리가 머리에서 맴돌았다. 괴롭고, 쓸쓸하고, 나를 원망하는 듯한 그런 목소리. 고통은 그 크기가 너무 커져서 언젠가부터 자신이 고통스러운 건지 잘 느껴지지 않았다. 그냥 고통 속에 갇혀서 이 환경에 익숙해진 것 같은, 그저 이게 내 삶인 것 같은 기분이었다.

복잡했던 머리가, 가슴이 비워지는 느낌이었다. 이젠 정말 모든 것을 수용할 수 있을 것 같았다. 모든 것을 삼킬 수 있을 것 같았다.

나 자신까지 삼킬 수 있을 것 같았다.

*

여울은 그날따라 유독 밝아 보였다. 그동안 여름을 그리워하며 무력하기만 했던 그런 모습이 아니었다. 자세히 보지 않으면 여름을 다 잊었다고 보일 수밖에 없던 모습이었다. 그러나 강우는 알았다. 여울 안의 방대한 공허함이 슬퍼하던 여울까지 집어삼킨 것을, 그리고 밝게 웃었던 여름을 내뱉었다는 것을. 여울은 마치 여름에 동화된 듯 보였다. 강우는 차마 괜찮냐고 물을 수 없었다. 여울은 한없이 밝게 웃었다. 여름을 흉내 내는 듯 보였다.

너 한여름 아니야, 손여울이야. 정신 차려
강우가 할 수 있던 말은 고작 이뿐이었다.

당연하지. 넌 날 뭐로 보냐…… 여름이는 곧 올 거잖아.
여울은 태연하게 대답했다.

뭘 와 이 바보야. 걔는 이미 떠났다고. 안 돌아온다고.
강우는 울컥 차오르는 눈물을 꾸역꾸역 참으며 소리쳤다.

강우는 여름이 떠났다는 것을 여울을 통해 알았다. 지나치게 멍해 보이던 그날의 여울은 마치 물에서 건져 올린 얇은 천 같았다. 여울은 계속 강우에게 웃으며 말했다.

여름이 떠났다는데? 아니겠지… 그렇지?

강우는 여울의 눈이 울고 있다는 것을 알았다. 애써 웃으며 아무렇지 않은 척을 해봐도 숨겨지지 않았다. 그냥 네가 감정을 토해내는 게 더 나을 것 같았다. 차라리 날 퍽퍽 치며 소리 지르고 울부짖는 게 더 나을 것 같았다.

그냥 울어. 너 지금 울어도 아무도 뭐라고 안 해.

강우야, 내가 울면…… 울면……

괜찮아.

강우는 여울의 머리를 자기 상체에 그대로 갖다 붙였다. 여울은 잠시 기대어 있다가 팔을 꽉 잡았다. 옷소매를 몇 번이고 지분거렸다. 강우의 옷이 점점 젖어 들어갔다. 강우는 아무런 행동도 하지 않고 그저 여울을 버텼다. 아무리 밀어도 밀리지 않게, 아무리 잡아끌어도 끌리지 않게. 여울은 점점 주저앉았다. 미끄러지듯 주저앉는 자신을 버티기 위해 강우의 옷가지를 더욱 세게 잡았다. 아무도 없던 학교 근처 골목에선 여울의 흐느끼는 목소리만 들려왔다.

올 거야. 가을이 다 지나가고 겨울도, 봄도 지나가면 한여름도 다시 돌아올 거야. 여름에 맞춰서 나타날 거야.

강우는 덤덤하게 말을 이었다. 이런 말이라도 해야 여울이 진정할 수 있을 것 같았다. 울기 싫었다. 자신이 울면 여름이 정말 영영 떠난 사람처럼 느껴져서 울지 않았다. 강우는 여울을 이 지독한 계절에서 빼내야 했다. 일단 겨울을 맞고, 또 다른 계절들을 맞으며 시간이 지남에 따라 무뎌지는 감각들을 이용해야 했다.

그러나 여울은 이미 알았다. 자신이 여름을 기다리느라 다른 계절을 맞지 않고 있다는 것을. 여름 속에 갇혀버려 아무리 강우가 있어 줘도 이 아름다운 여름을 벗어날 수 없다는 것을.

여울의 여름 행세는 계절이 바뀔 때까지도 계속됐다. 이젠 여름의 흔적조차 남지 않은 겨울이 되었다. 여울은 여전히 여름의 형상을 띄고 있었다. 주변에서는 이제 이전의 여울을 잊어가는 듯했다. 여름과 여울의 경계가 흐려진 것 같았다. 이름이 비슷해서 더 그랬을까. 여울은 점점 여름이 되어가고 있었다. 여름의 햇살 같던 미소는 여울의 겨울의 태양을 앗아간 듯한, 시리고도 뜨거운 미소가 되었다.

여울은 자신만의 후덥지근한 더위 속에서 숨이 텁텁 막혀 목이 비쩍 갈라지고 말로 형용할 수 없는 그 건조함에 눈앞이 흐려져도, 그냥 그대로 말라 죽어도 좋을 것 같았다.

강우는 그저 이 모든 게 더위에 지쳐 쓰러져 자던 어린 자신의 한여름 밤의 꿈이었다면 얼마나 좋을까, 그냥 그런 생각이 머리를 스쳤다.

강우는 더 이상 자전거를 타지 않았다.

자전거를 타면 여울이 계속해서 여름을 불러서, 마치 여름과 대화를 나누듯이 계속해서 말을 걸어서, 그러나 그 모습이, 그 모습만은 여름이 아닌 여울 같아서, 또 너무 즐거워 보여서 말리지 못하는 스스로를 견딜 수가 없었다.

강우는 점점 여울이 두려웠다. 정확히는 여울까지 잃을까 봐 두려웠다. 여울은 죽어도 좋다는 얼굴을 한 채 살아가고 있었다. 강우도 여름을 그리워하지 않은 것은 아니었지만 여울이 너무 심각해 자신의 그리움을 알아챌 수 없었다. 여기서 자신까지 여름을 그리워하면, 슬퍼하면 여울은 정말 미쳐있을 것만 같았다.

여울은 영원한 여름에 갇혔다. 비도 내리지 않아 여름이 끝날 기미가 보이지 않는 초여름에, 여름이 이 마을로 이사 온 그 초여름에 갇혔다.

누군가는 비를 내려줘야 한다. 누군가는 그 여름에서 여울을 던져내야 한다. 누군가는 장마를 몰고 와 그 여름의 열기를 식혀야만 한다. 그러지 않으면, 그러지 않으면 햇살밖에 없는 여름이 모든 걸 태워버릴지도 모른다. 쨍쨍하기만 한 날씨가 영원한 환상을 걸어버릴지도 모른다. 여울을 그 속에서 죽어가게 할지도 모른다.

내가 뭘 해야 하지? 도대체 뭘 어떻게 해야 해?

여름아 내가 뭘 해야만 여울이가 널 잊어?

나조차도 널 못 잊는데 여울이에게서 너를 어떻게 빼앗아야 해? 이대로면 나는 너랑 여울이를 둘 다 잃을 것만 같은데 도대체 뭘 어떻게…

강우의 눈앞이 흐려졌다. 땅에 짚은 손 위로 작은 물방울들이 쏟아져 내렸다. 어느새 그 주변의 모래는 색이 진해져 질퍽해져 있었다. 그 옆에 서 있던 여울은 강우의 손을 잡으며 말했다.

강우야, 나 바다가 가고 싶어.

물에 들어가고 싶어…… 너무 더워서 그래, 너무 더워서… 숨이 자꾸 막혀서… 응? 데려가 줄 거지? 그때처럼 하늘을 날게 해 줄 거지?

너도 영영 바다로 가버리면 어떡해?

너도 바다가 좋아졌다고 해버리면 어떡해.

아니, 아니야. 그래. 가자.

바다 가자, 우리.

*

바다에 도착해 물을 밟기 직전까지 느낀 것은 폐가 누군가에 의해 눌려지고 있는 듯한 감각이었다. 그 감각 속에서 모래 속에 남던 자기 발자국은 이상하게도 영영 남아있을 것만 같았고 헛디딘 발걸음에 겨우 모래에서 눈을 뗄 수 있었다.

강우는 크게 숨을 들이켰다.
그리고 생각했다.

나를 계속 압박하는 것 같던 감각은 코끝을 스치는 바다의 비릿함이었을까. 아니면 이제야 겨우 숨을 제대로 쉬게 된 감각이었을까. 어쩌면 이때까지 진짜 숨이 막혀 죽어가던 사람은 나였을까. 여름에 휘감겨 내가 어디 있는지도 모르고 무작정 달려가기만 했던 게 나였을까. 우리가 모두 여름에 갇혀있던 걸까.

그냥…… 이 여름을 씻어 내리고 싶어.

강우는 서서히 바다로 걸어 들어갔다.

그에겐 정말 씻어 내리고 있다는 표현이 맞았다. 온몸을 구석구석 씻어 내렸다. 그럼에도 아직 부족하다는 듯이 계속해서 깊은 곳으로 들어갔다.

같이 왔던 여울은 그저 강우를 바라봤다. 그러고는 자기 손을 주먹 쥐었다가 다시 펴기를 반복했다.

이상하다. 분명 강우가 손을 내밀었을 땐 아무것도 보이지 않았는데. 이젠 그 너머의 모래들이 보였다. 단순히 내 손이어서가 아니라 그냥 강우가 손을 내밀어도 지금은 모래가 보일 것 같았다.

강우야. 우린 왜 이렇게 된 걸까.

어쩌다 이 지경까지 와버린 걸까.

그냥 다 잊어버릴까……

잊힐까?

매번 여름이 돌아오면 나는 또 지긋지긋한 숨쉬기를 하며 그렇게 여름을 지워가야 하는 걸까?

여울은 그저 텅 빈 눈 속에 강우를 담으며 중얼거렸다. 계속 멀어져 가는 그 형상을 보면서도 눈 속을 꽉 채우듯이, 그러나 죽은 듯이 고요한 시선으로 그를 바라보고 있었다.

주변이 시끄러웠다. 급하게 안전요원들이 구명튜브를 들고 하나, 둘 뛰어들기 시작했다. 관심을 가지지 않으니 시끄러운 소리는 그저 왕왕거리듯 울려대기만 했다. 여울은 무슨 일인지 궁금하기도 했지만 그것보다 자신의 시야에서 강우가 가려지는 게 짜증이 났다. 그러나 움직일 힘은 없었다. 여울이가 할 수 있던 것은 미간을 있는 대로 찌푸린, 그런 표정이 다였다.

잠시 후에 안전요원들이 끌고 나온 사람은 뜻밖에도 강우였다. 강우가 위험했던가. 여울은 여전히 강우를 바라보고 있었다. 강우의 표정은 정말 더위를 심하게 먹은 사람의 얼굴 같았다. 덤덤하게 안전요원들의 팔을 뿌리치고 그 얼굴이 여울에게 점점 다가왔다.

'집에 가자.'

강우가 손을 내밀었다.

여울은 허탈하듯 한 번 웃고는 속으로 생각했다.

이것 봐, 이젠 모래가 보이잖아. 가려지지 않잖아.

그러나 손을 잡고 대답했다.

그래. 집에 가자.

둘은 집으로 돌아오며 이런 얘기를 했다. 대충 너와 내가 예전과 같지 않다는 것을. 예전으론 돌아갈 수 없다는 것을.

강우야, 이제 네가 아무리 손을 뻗어줘도 난 그 너머의 모래가 보여. 우리 왜 이렇게 된 걸까? 어쩌다 이 지경까지 와버린 걸까?

그냥 다 잊자. 여울아. 한여름을 모조리 지워버리자. 우리의 계절에서 서서히 덮어가자. 응? 내가 비를 내려줄게. 여름을 지나가게 해줄게. 뒤돌지 말고 계속 달리자. 여름이 보이지 않을 때까지 계속 잊어가자 제발.

둘은 그렇게 집까지 걸었다. 맞잡은 두 손을 놓지 않고 일정하게 발을 맞춰 걸었다. 푸르스름하던 하늘이 어두워지고 깜깜해질 때까지 왔던 길을 따라 걸었다. 집에 거의 다다랐을 때 여울은 강우를 보며 말했다.

나는 아직도 여름인가 봐, 강우야. 벗어날 수 없나 봐. 잊을 수가 없나 봐. 뛰면 괜찮아질까? 달리면 이 계절의 끝이 보일까? 시간도, 계절도 공간이었으면 좋겠어. 벗어날 수 있게…

강우는 단단히 맞잡았던 손을 놓으며 말했다.

뛰어도 돼. 뒤에서 지켜보고 있을게.

여울은 옅게 웃고는 고개를 끄덕였다. 그리고 그 무거운 발로 몇 번씩이나 땅을 박차며 걸었다. 힘없는 팔과 다리를 휘적이고 뛰어지지 않는 다리를 억지로 움직이며 하늘을 날았다. 강우는 여울이 자기 시야에서 사라지고 벅찬 숨소리도 들리지 않을 때까지 가만히 바라보다가, 그렇게 한참을 바라보다 주저앉았다. 웅크린 채 자꾸 차오르는 눈물과 울음소리를 삼키려 애쓰며 강우는 한동안 일어날 수 없었다. 자기 울음소리가 수없이 땅에 부딪히고 눈물이 온전히 먹힐 때, 강우는 생각했다. 자신은 절대 무너져선 안 된다고.

모든 소리가 땅에 부딪혀 자신에게 고스란히 되돌아오는 것을 다 견디고 나서야 고개를 든 강우는 바닥에서 올라오는 찬 기운에 새빨개진 얼굴을 하고 있었다.

달려서 네가 여름을 벗어날 수만 있다면, 뛰어서 이 시간을 지나칠 수 있다면 몇 번이고 대신 뛰어주고 싶어. 시간이 공간이라면 너를 어떻게든 건져내고 싶어.

너를 살아가게 하고 싶어.

네가 살았으면 좋겠어.

겨울의 스산한 공기가 둘을 에워싼 채 그들의 열기를 식히고 있던 그 밤. 여울은 겨울의 찬 바람을 맞으며 생각했다.

어쩌면 자신이 더운 건 이 계절이 여름이 아니어서가 아닐까. 만약 여름이었다면 시원하지 않았을까. 하고.

바다에서 돌아온 지금까지도 여름은 여전히 돌아오지 않았다. 어디에도 보이지 않았다.

아직 해야 할 말이 많은데 어디로 간 걸까.

너와 나의 시간은, 너와 우리의 시간은 여전히 그 바다에 머물러 있다. 반짝였던 바다 한가운데의 여름을 우리는 눈에 담고 있다. 여전히, 또 여전히 머물러있다. 그러나 하나 달라진 게 있다면 이젠 모래들이 보인다.

강우 손 너머로 보이지 않던 모래가 보인다.

*

강우는 바다에서 돌아온 후로 심한 감기를 앓았다. 자연스레 여울과도 마주치지 않았다. 그렇게 몇 주가 지났다. 강우는 감기에 며칠간 정신을 못 차리다 겨우 깨어났지만 그 후로 입을 열지 않았다. 한파가 온 마을을 뒤덮었던, 그 수많은 날 동안 강우 또한 얼어붙고 있었다. 강우의 부모님은 한 번도 보지 못했던 강우의 모습에 심란했지만 아무것도 할 수 없었다. 그러던 와중 마을에선 누군가 이사할 준비를 하고 있었다. 강우네 집 앞을 지나가는 중년의 남자를 보며 강우의 엄마는 이사 온 지 얼마 되지도 않은 집인데, 라며 작게 중얼거렸다.

강우가 고개를 돌려 그 남자를 쳐다봤을 때, 그는 아무 말도 하지 않았다. 아니, 하지 못했다. 말이 입 밖으로 튀어나오지 않았다. 도대체 왜 이사 가는 거냐고 물어봐야 하는데, 왜 아저씨가 이사하는 건지 물어봐야 하는데 목소리가 턱 끝에 막혀 나오지 못했다. 몸이 너무 무거웠다. 붙잡기라도 해야 했는데 발도 떨어지지 않았다.

여름의 하나뿐인 가족, 아빠였다.

아직 여름이 돌아오지 않았는데 이사를 가버리면 어떡해? 그러다 여름이가 길을 잃어서 영영 못 돌아오면 어떡해. 아 이미 죽은 걸까. 돌아올 수가 없는 상태인 걸까. 묻고 싶어. 내가 생각한 게 맞는 건지 물어보고 싶어. 근데 만약 물어봐서 진짜면? 진짜 여름이가 죽은 거라면? 아닐 수도 있잖아. 그냥 이사 가는 걸 수도 있잖아. 근데 물어볼 수가 없어. 죽지 않았어도 그냥 찾지 않겠다고 하는 걸까 봐. 그냥 내 모든 감이 너무 불안하게 흔들려 와서, 진짜 내가 생각한 대로만 흘러갈까 봐서 도저히 물어볼 수가 없어.

강우는 손이 떨려왔다. 목이 터질 것만 같았다. 얼어있던 온 전신이 깨지는 것 같았다. 온몸이 부서지는 것 같았다. 가루가 될 만큼 잘게 부서지고 있는 것 같았다. 그럼에도 뛰었다. 뛸 수밖에 없었다. 아저씨가 이 집을 다 지나가기 전에. 시야에서 사라지기 전에.

왜 이사 가는 거예요? 왜… 도대체 왜 이사 가는 거예요. 아직 못 찾았잖아. 여름이가 돌아오지 않았잖아. 계속 찾아야지, 계속 기다려야지 왜 아저씨가 이사해요. 여름이 집은 여긴데… 돌아올 곳이 여긴데…. 여기 손여울도, 나도 다 있는데 어딜 가요, 네? 왜 가요.

입 속에서 맴돌던 말이 입 밖으로 터져 나왔을 때 아저씨는 그의 말을 묵묵히 듣다가 그를 올려다봤다. 강우는 더 이상 말을 이어갈 수 없었다. 이미 아저씨의 굽어있는 등과 생기를 잃은 눈빛이 강우에게 모든 것을 말해주고 있었기에.

"아저씨가 다 미안해. 여름이가 혹시라도 나중에 돌아오면 그때 꼭 만나러 올게. 아저씨가 너무 미안해"

애써 웃던 아저씨는 그렇게 힘없는 걸음걸이로 강우를 지나쳐 마을을 떠나가고 있었다. 강우는 신발도 제대로 신지 못하고 여름의 집을 향해 뛰었다. 여름의 집에는 여름의 방만 그대로였다. 아무것도 손대지 않은 것 같은, 여름의 성격이 그대로 묻어난 방이었다. 침대엔 우리가 몇 번이고 전화했지만 여름이에게 닿지 않았던 수많은 부재중이 떠 있었고 방 한편엔 아주 어린 여름의 사진이 걸려있었다. 그리고 그 사진 앞엔 마주 앉아 있는 손여울이 있었다.

아, 이미 너도 다 알아버렸구나.

천천히 고개를 돌려 강우를 쳐다보던 여울의 표정은 말로 형용하지 못할 눈물을 가득 머금은 어린아이의 얼굴이었다. 감정을 주체하지 못하는 어린애의 그런 서툰 슬픔이 잔뜩 묻어있었다.

강우야… 나 좀 안아줘 제발. 못 견디겠어. 몸이 너무 떨려. 나 좀 제발 꽉 안아줘.

한쪽 무릎을 꿇어 여울의 옆에 몸을 낮춘 강우는 여울을 끌어안았다. 머리를 감싸고, 어깨를 거머쥐었다. 자기 어깨에는 여울의 허덕이는 숨이, 소리 내어 울던 여울의 울음이, 얼굴을 감싸고 내려오는 눈물이 얹어졌다. 강우는 여울을 껴안자마자 생각했다. 진짜 넌 여름을 살고 있구나. 이렇게 추운 겨울에도 너는 열이 나고, 땀을 흘리고, 숨이 잘 쉬어지지 않는구나. 강우는 자신이 펄펄 끓는 것 같다고 느꼈다. 마치 수증기가 되어가는 듯한 느낌처럼. 물을 끓이면 뜨거워지는 열기에 익어가는 느낌처럼.

여울은 강우가 자신을 안았을 때, 비교적 시원함을 느꼈다. 얼음을 갖다 댄 듯한, 차가웠다가 금방 녹아 사라진 그런 짧은 시원함을 느꼈다. 그 짧은 시간에 오한이 들었다가 숨을 쉬었다가, 눈을 감았다. 강우의 체온에 안정감이 들기 시작했을 때, 한참을 안겨있느라 눈물이 다 멎고 밖에 해가 밝아오기 시작했을 때, 시간이 얼마나 지났는지 느껴지지

앓기 시작했을 때, 여울은 자신을 감싼 강우의 손을 하나씩 벗겨내었다. 그리곤 유독 눈에 띄던 책장 끝에 꽂힌 얇은 공책 하나를 빼 들었다.

공책을 한 장 넘기니 여름의 글씨체가 보였다. 일기인 걸까. 여울은 종이를 여러 장 넘길수록 왠지 여름이 옆에서 자신을 지켜보고 있을 것 같았다. 그리고 어이없게도 그 종이에 쓰인 글들에 여름이 꼭 살아있을 것만 같았다.

넌 정말 바다에서 사는 거 아닐까.

물에 잠긴다고 다 죽는 게 아니잖아.

물고기가 됐을 수도 있잖아.

어쩌면 고래가 됐을 수도 있잖아.

너는 이 세상을 거꾸로도 살았는데 고작 바다에서 못 살까.

아, 넌 꽃이 되고 싶었구나.

아니, 시든 꽃이 아니라 살아있는 꽃이야 너는.

아무도 기억하지 못하고 잊히는 꽃이 아니라 영영 기억되는 꽃이야. 내가 그렇게 만들게.

내가 네 청춘을 꽃으로 포장해 줄 테니까 너는 엄마보다, 아빠보다도 오래 살아. 꼭 끝까지 살아남아서 다시 날 보러 와.

여울은 여름의 방에서 그녀의 기억을 훔쳤다.

일기를 훔치고 목도리를 훔쳤다. 나는 네가 쓴 모든 기억을 가져갈 거야. 네가 느꼈던 감정, 생각, 네가 버리려고 했던 그 모든 것들을 다 가져갈 거야. 그래야 너를 이해할 수 있을 테니까. 그래야 내가 너를 꽃으로 포장할 수 있을 테니까. 그리고 넌 여름이잖아. 목도리를 두르기엔 너무 더운 계절이잖아. 나만 겨울이니까, 나만 지금 겨울을 살아가고 있으니까 목도리 하나쯤은 가져가도 되잖아.

눈앞이 어느새 흐려졌다. 이제 그만 말라버렸을 거라 생각했던 눈물은 언제 그랬냐는 듯 멈출 줄을 몰랐다. 침대에 얼굴을 파묻었다. 희미하게 여름 냄새가 났다.

그냥… 그냥 이 방에서 나가고 싶지 않아.

일어나…
일어나 여름아.
해가 떴잖아.
겨울이 오잖아.
너만 일어나면 나 아무것도 안 가져갈게. 응?

여울은 몸을 한껏 웅크리고 이불로 얼굴을 감쌌다. 여름의 체향이 느껴졌다. 그 체향이 좋아서 더욱 세게 감았다. 몸이 떨렸다. 숨이 잘 쉬어지지 않았다. 이상하게 숨이 막히니까 마치 여름을 껴안고 있는 것 같았다. 그래서 더욱 세게 감았다. 강우는 여울을 가만히 바라보다 옆으로 누워 웅크려 있던 여울을 다시 안았다. 자기 몸 안에 여울이 다 감싸게 몸을 포갰다. 여울이 몸을 최대한 웅크리고 있던 모습은 마치 다른 생명체 같았다. 태어난 지 얼마 되지 않은 생명체 같았다. 강우는 천천히 이불을 걷어 내고 여울을 감쌌다.

재발 너까지 이러지 마. 너까지 날 떠나려고 하지 마.

여울이 몸을 틀어 강우를 안았을 때 둘은 여름의 침대에서 그저 눈물을 흘렸다. 서로를 껴안고 강우의 눈물은 여울의 어깨 위에, 그리고 여름의 침대 시트 위에 떨어졌고, 여울의 눈물은 자신의 볼, 광대, 귀를 타고 내려가 여름의 침대 시트 위에 떨어졌다. 여울은 천장을 바라보며 누워있었고, 강우는 그런 여울 위에서 침대 시트를 보며 포개져 있었다. 둘은 빈틈이 없도록 서로를 꽉 껴안고 밀착했다. 아무 말도 하지 않았다. 그리고 둘의 온도가 점점 합쳐져 더 이상 땀도, 오한도 들지 않을 때 여울은 입을 열었다.

나 죽지 않을 거야.

살아서 증명할 거야.

한여름이 살았던 모든 시간을 증명할 거야.

나는… 죽지 않을 거야.

강우는 몸을 일으켰다. 여울은 계속 누워있었다. 강우는 침대 끝에 걸터앉았고 여울은 눈을 뜨고 누워있었다. 강우는 두 손으로 자기 얼굴을 몇 번 쓸어내렸다. 그리곤 먼저 그 방을 나왔다.

그래. 꼭 살아. 네가 살아서 모든 것을 증명해. 아무도 기억해 주지 않아도, 모두가 한여름을 잊어도 넌 기억해.

조금 전까지만 해도 자기 상체에 밀착해 있던 온기가 사라지니 바깥의 공기가 자신의 품이 얼마나 비어있는지 확인시켜 주듯 몸을 에워쌌다. 여울을 안았던 그 체온이 마치 여울이 살아있다고 말하는 것 같았다.

여울은 한참을 더 누워있다가 공책과 목도리를 챙겨 나왔다. 여울은 하늘을 보며 지금이 이른 새벽인지. 초저녁인지 잘 가늠이 가지 않았다. 그저 자기 얼굴에 말라버린 눈물 자국이 질겼다. 혀로 핥으면 짜고 얼굴을 찡그리면 피부가 땅겼다.

모든 게 다 살아있음의 증거였다.

*

계절이 바뀌는 게 느껴질 때가 있다.
예를 들면 새벽이 짧아진다거나,
밤공기가 조금 따뜻해졌다거나 그런 변화 말이다.

그건 여름이 오고 있다는 거겠지.
내가 어떻게 너 없는 계절들을 버텼는지 기억도 잘 나지 않아. 새해가 왔고, 추위가 갔고, 꽃이 피었고, 나는 살았어.
당연한 일들처럼 나도 그냥 살았어.
강우는 매일 만났어. 만나서 수많은 밤을 지새웠어. 강우의 어깨에 기대어 하얗게 기운 달을 보며 더운 숨을 뱉었어. 얼굴 곳곳에 땀이 맺히고 열이 났어. 마루에 앉아 하염없이 하늘 너머를 바라봤어. 해가 뜨고 강우와 나의 형체가 그림자가 될 때, 나는 매일 일출의 뜨거운 아름다움을 바라봤어. 하늘을 물들이며 솟아나는 해는 네 미소에 담긴 화창한 빛보다 붉은빛을 머금었고 다 태울 것 같은 열기로 아침을 밝혔어. 많은 날이 몽롱했어. 제정신이 아니었어. 눈을 떴음에도 뜬 것 같지 않았어. 계속해서 꿈을 꾸고 있는 것만 같았어. 나는 평생을 죽은 채로 살고 싶었어. 그러니까 나는, 살고 싶었어. 죽은 채로 살고 싶었어. 눈을 뜨지 않고, 아침을 맞이하지 않고, 감정도 느끼지 않은 채로 머물고만 싶었어. 세상을 등지는 행위를 너는 어떻게 한 걸까… 나는 욕심이 많고 욕망이 들끓어서 이 세상을 떠날 수가 없었어. 그러나 의지가 없기에 살고 싶지도 않았어. 그래도 네가 떠났을 때 나는 살아야겠다고 생각했어. 넌 죽어도 난 살 거라고, 죽은 너보다 내가 더 행복하게, 오래 살 거라고. 근데 생각해 보니 넌 그저 살아있는 게 죽는 거보다 힘들었던 거겠지. 그러니까 지금 살아있는 나는 죽을 듯이 괴로워도 너보다는 힘들지 않다는 거겠지.

부쩍 짧아진 새벽하늘에 손을 뻗으면 하늘 속에서 그림자가 되어있는 내 손을 희미하게 마주한다. 절대 움켜쥐어지지 않는 하늘에 계속해서 잡는 시늉을 하게 되고 어느새 나는 잡히지 않는 하늘이 아닌 내 손에 초점을 두게 되었다. 나는 잠이 오지 않아 새벽을 마주하게 될 때 꼭 한 번 손을 뻗었다. 뻗은 손을 계속해서 쳐다보면 어느새 하늘과 내 손의 거리감이 잘 느껴지지 않는다. 마치 내가 하늘에 있는 것처럼.

너도 바다를 보면서 이런 생각이 들었을까?

나도 조금은 알 것 같아. 네가 바다를 보면서 어떤 생각을 했는지, 얼마나 벅차올랐을지.

이른 새벽의 하늘은 아주 어둡지 않고 너무 푸르지도 않다. 연한 하늘색에 보라색을 한 방울 떨어뜨린 것 같은 색이다. 그런 색을 계속해서 보면 나는 내가 감화 되는 것 같다는 느낌이 든다. 자연에 감화 되는 듯한 기분. 바람이 이질적이지 않게 되고 하늘에 더더욱 가까워진다.

여름에 가까워진다.

*

결국은 너 없는 여름을 맞이하고 있어.

점점 더워질 거래. 나는 아무래도 작년의 더위까지 한 번에 견뎌야 할 것 같아. 작년의 여름은 너무 아름다웠고, 다시는 그 여름을 겪지 못할 걸 알아서 나는 과거를 계속 그리워하고 있어. 나는 아마 작년에 남들이 겪은, 내가 견뎠어야 할 더위를 다 너에게 줘버렸나 봐. 그래서 네가 그렇게 힘겨웠던 건가 봐, 그래서 내가 너무 시원했나 봐,

그래서,

이제 너의 더위까지 내가 다 견뎌야 하나 봐.

너도 이렇게 더웠을까? 숨 막혔을까?

근데 나는 이상하게 작년의 여름부터 이번의 여름까지 쭉 더웠던 거 같아. 한겨울에도 나는 너무 더웠어. 기껏 가져온 목도리도 쓰지 못했어. 그래서 하루에도 몇 번씩이나 씻었어.

씻어내리고 싶었어.

계절의 여름을, 혹서의 여름을, 너라는 여름을.

*

8월이다. 가장 더운 시기, 햇빛을 온몸에 받아들여도 너무 넘쳐나서 몸이 부글부글 끓는 것만 같은 시기.

여울은 온몸에 그 태양을 온전히 삼키고 싶었다. 태양을 삼키며 온몸의 불순물을 다 내뿜고 싶었다. 뜨거운 그 열기를 집어삼키며 느낀 것은 불순물들이 장기들을 거슬러 올라오는 듯한 거북한 느낌과 이유 모를 배덕감이었다. 조금 더 자세하게 말하자면 심장이 입 밖으로 밀어 올려지는, 입을 열면 내 모든 것이 쏟아질 것 같은 그런 공포 혹은 안도감이었다.

조금만 견디면 입추가 와.
그럼, 우리 다시 이 여름을 벗어내자.

*

가을이 왔을 때쯤, 여울은 밖에 널린 빨랫감을 보며 그 모습이 문득 여름의 형체와 닮아, 그럴 리 없다는 걸 알지만 혹시나 한 마음에 뛰쳐나간 적이 있다. 뛰쳐나가 그 빨랫감들을 마구 휘젓고 자신이 착각했다는 것을 알았을 땐 주변에 본 사람은 없을까 민망해져 괜스레 크게 웃었다.

작년 가을은 온통 여름이었다. 여름이는 없었어도 자신이 여름으로 살았으니까, 그땐 여름을 따라 하려 애썼으니까. 겨울이 되고 여름의 아빠가 이사 갔을 때쯤 여울은 정신을 차렸다. 여름의 방에서 주저앉아 한참을 울었을 때 여울은 문득 이러다 영영 여름에 동화될 것 같다고 느꼈고, 그 느낌이 마냥 싫지만은 않다고 판단했을 때 아 정말 이대로는 안 되겠다고 생각했다. 작년은 뭐랄까…. 온통 거짓말 같았다. 자신이 여름에 동화되었던 것도 거짓말 같았고, 여름을 잃었던 것도 거짓말 같았다. 아니, 그냥 처음부터 여름이라는 사람이 있었다는 것도 거짓말 같았다. 이걸 강우에게 말하면 그럴 때마다 강우는 말했다.

그게 어떻게 거짓말 같아. 우리한텐 너무 선명하잖아.

응…… 그렇지.

그렇다. 사실 거짓말이라기엔 너무 선명했다. 잊히지 않았기에 잊고 싶었다. 거짓말이라고 믿고 싶었다. 여울은 강우와 거의 날마다 대화했는데 여름의 이야기는 언젠가부터 서로 하지 않았다. 잊으려고 노력했던 것 같다. 다만 여울은 여름에게 한 번씩 편지를 썼다. 편지지를 가득 채울 때도 있었고, 고작 몇 문장만 썼을 때도 있었다. 편지를 쓴 이유는 그저 그때그때 남기고 싶은 말들이 있었고, 그 말을 언젠가는 여름에게 전하고 싶었기 때문이었다. 그리고 편지를 쓸 때마다 점점 그리움보다는 추억 속에 여름을 넣어두는 것 같은 기분이 들었다. 이젠 여름이라는 계절도 조금… 다신 없을 계절처럼 느껴졌다. 작년의 자신에게 딱 한 번 있던 특별한 계절 같았다. 그래서 유독 작년의 여름이 선명했다. 가만히 눈을 감으면 그 여름의 색감이 눈앞에 그려졌다. 얼마나 밝았고 선명했는지, 얼마나 쨍한 색채들을 품고 있던 계절이었는지, 그 계절 속의 모두가 어떤 색을 나타내고 있었는지. 어쩌면 여울의 시야가 밝고 선명했던 걸지도 모른다. 작년의 여름은 정말 아름다웠다는 표현이 부족할 지경이었으니까. 미화하지 않아도 충분히 아름다웠던 그런 시간이었으니까. 그러니까 앞으로의 시간 중 여름이 있던 여름은 영원히 아름다울 것 같았다. 자신이 힘들었던 시간까지 아름다울 수 있게 미화할 것처럼.

여울은 스스로를 계속 미화하고, 덧칠하고, 예쁜 색들을 다시 입혀가며 그 시절의 자신을 지울 것이다.

강우가 이 사실을 알았을 땐 자신도 언젠가 여름에게 편지를 쓰겠다고 했다. 가을이 다 지나가는 지금까지도 강우는 편지를 쓰지 않았다. 아마 겨울에 쓰려는 것 같다. 가을은 생각보다 시원했다. 작년의 가을은 잘 느껴지지 않아서 더욱 새로웠다. 또 생각해 보니 올해의 여름은 장마가 잘 기억나지 않았다. 정말 태양만 있던 그런 여름을 쭉 보내온 것 같았다. 지금 가을의 선선함을 느낄 수 있다는 건 여울이 그 여름을 벗어났다는 거겠지. 강우가 여울을 그 여름 속에서 던져냈던 거겠지. 강우는 여울을 가장 가까이에서 바라보며 생각했다.

여름이 너에게 정말 소중했구나.

여름이 그렇게 좋았구나.

넌 여름을 사랑했구나.

사랑이라는 말을 동성에 갖다 붙인 적은 처음이었다. 그러나 전혀 이상하게 느껴지지 않았다. 여울과 여름의 사이를 단정 짓는 단어에 사랑은 정말 딱 들어맞았다. 누군가를 열렬히 원하고, 맹목적으로 달려들고, 지독한 감정을 요구하는 불순한 사랑이 아니라 정말 아름다운 사랑을 했다. 그 사랑을 색으로 표현하면 정말 맑은 물의 색 같았다. 물속이 다 보이게 투명하고 은은하게 푸른빛을 띠는 그런 색. 여울과 여름은 바다 같은 사랑을 했다. 적어도 강우의 시선에선 그러했다.

여울은 그리움을 벗겨내는 과정이 자기 살갗을 벗겨내는 것과 비례한다고 느꼈다. 그래서 그리울 땐 칼을 들었다. 위협적이지 않고 누구나 일반적으로 쓰는 칼로 자기 살을 베었다. 그래서 여울은 1년 동안, 사계절 동안 팔에 붕대를 감았다. 살갗을 벗겨내면 그 흉터를 보기가 싫었다. 여울은 여름에도 긴팔을 입었다. 바지도 칠부바지를 자주 입었다. 허벅지에 흉터는 정말 보기 끔찍했다. 다른 곳보다 유독 살이 많은 부위, 살갗을 벗겨낼수록 옆으로 터져 더 커지는 흉터, 그 옆에 위치한 접힌 살들.

여름은 이런 접힌 살 따위는 없겠지? 너무 말랐으니까 없을 것 같았다. 다 벗겨보면 여자처럼 안 보일 것 같았다. 비쩍 마른 남자 같은 몸, 굴곡 없이 툭 떨어지는 다리, 가슴 없는 밋밋한 상체. 여울은 여름을 기억하는 방법이 점점 달라지고 있었다. 조금이라도 더 구체적으로 묘사하지 않으면 쉽게 잊힐 것 같았다. 이미 원래 여름의 모습과 지금 여울이 떠올리는 여름의 모습은 달라졌을지도 모른다. 그러나 여울은 계속 여름을 묘사하고, 표현하고, 여러 단어로 단정 지었다. 여울은 또다시 여러 계절을 보내고 겨울을 맞이하는 과정을 견디고 있었다.

*

눈이 내렸다. 전날 밤부터 내린 눈은 아침까지도 이어졌다. 밖은 온통 하얬고 눈이 제법 쌓였다. 겨울이 왔다는 어김없는 증거였다. 애써 부정한 계절들이 증명되던 순간이었다. 강우는 제 책상의 서랍을 열어 깊숙이 박혀있던 낡은 편지지를 꺼냈다. 어떤 말부터 시작해야 할까. 눈이 와서 네가 생각났다고 해야 할까. 하지만 쓸 말이 없었다. 어떻게 운을 떼야 할지 생각이 나지 않았다. 그냥 밀물처럼, 한없이 밀려드는 생각에 아무 말도 떠오르지 않았다고 해야 하려나. 강우는 창밖을 잠시 보았다. 여름의 피부를 닮은 하얀 눈이었다. 강우는 들었던 펜을 다시 내려놓고 옷을 챙겨 입었다. 옷장에서 두꺼운 옷을 꺼내 입고 밖을 나섰다. 문 앞엔 눈이 강우의 종아리까지 차 있었다. 하늘에선 여전히 눈이 내리고 있었다. 피부에 닿는 눈이 가벼웠다. 강우는 언젠가 여름과 약속한 눈사람을 만들기 시작했다.

아마 여름이 지나가기 전, 여름은 강우에게 말했다. 겨울이 오면 눈사람을 만들어 보자고. 강우는 답했다.

우리 마을은 눈이 잘 안 와.

그래도 혹시 모르잖아. 눈이 오면 우리 꼭 만나서 눈사람을 만들자.

강우는 그 말에 헛웃음 치며 그러자고 했다. 우습게도 그 해엔 눈이 오지 않았다. 약속을 못 지키는 걸 상기시키기라도 하듯 겨울은 그저 지나갔다.

사실 올해도 눈이 오지 않았으면 했다. 눈이 오면 다시 그 약속이 떠오르고 약속을 지켜도 네가 없다는 사실이 더 부각될 뿐이었으니까.

혼자 눈사람을 만들기 싫었다. 몇 년 만에 겨우 내린 눈을 이대로 보내기도 싫었다. 그냥 한여름이 있어야만 했다. 겨울을 받아들이기가 싫었다. 이제 하얀 눈밭을 봐도 바다가 떠올랐다. 그 눈이 다 녹아서, 자유로운 물이 되어서, 그 물이 바다가 되고 네가 되어서, 그렇게 너는 내 앞에 나타났다. 여름이 아닌 계절에서도 너를 떠올릴 수밖에 없었다. 너는 어느새 바다였고 눈이었으니까. 매번 그렇게 나를 찾아왔으니까.

강우는 잘 모이지도 않는 눈덩이를 굴리며 눈사람을 만들었다. 그 눈사람이 자신의 허리춤만큼 쌓아졌을 때 강우는 그 눈사람 옆에 앉았다. 눈은 여전히 내리고 있었다. 강우는 자신이 만든 눈사람을 조심스레 쓰다듬었다. 그리곤 머리를 눈사람에 갖다 대었다.

벌써 겨울이 왔어. 나 눈사람도 만들었어.

거긴 날씨가 어때?

여기는 이제 입김이 많아 나와. 영원히 흐를 것 같지 않던 시간이었는데 어느새 너를 가둬 둔 여름을 지나 겨울로 다시 나를 데려왔어.

……그곳이 일 년 내내 춥지는 않았으면 좋겠다.

나는 요즘도 여전히 네가 살아있을 것만 같아. 내가 직접 너의 마지막을 보지 못해서 이렇게 미련이 남는 건가 봐. 너도 어디선가 눈사람을 만들고 있을까?

나, 그때의 나에게 많이 되물어.

네가 왜 그런 선택을 했던 건지, 왜 그렇게 너를 보내버렸는지. 처음엔 화가 많이 났어. 그다음엔 후회도 했고 스스로를 많이 원망했어.

내게서 지독히도 벗겨지지 않던 죄책감이 이제는 너를 기억할 수 있는 유일한 단서가 되었다. 이제는 네 이름이 입 밖으로 잘 나오지 않아. 미안해.

나… 네가 많이 보고 싶어. 그리고 그리워.

손을, 아니 손가락이라도 한 번만 잡고 싶어.

점점 너의 머리색이 흐릿한 거 같아서 한 번만 쓸어보고 싶어. 자주 너의 얼굴이 일렁여서 눈과 귀를 한 번만 어루만지고 싶어. 턱을 한 번만 쓰다듬고 싶어.

이제는 점점 너의 체형도 잊혀. 키는 어느 정도였는지, 팔은 어디까지 내려와 있었는지, 다리는 어떤 모양이었는지. 원래 눈으로만 담으면 잘 기억나지 않나 봐.

차마 이름을 부르진 못하겠다. 이름으로만 부르다간 나도 모르게 너를 잊어갈까 봐 무서워. 너한테 어떤 말을 남긴다는 건 처음인 것 같은데 감정이 되게 벅차다. 여울이는 너한테 어떻게 매번 편지를 썼던 걸까……신기하기도 해.

있지, 나랑 여울이는 여전히 그 마을에 있어. 네 집…, 아니 네 방도 그대로야. 언젠가 돌아오면 꼭 들러주라.

난 너의 손을, 손가락을, 머리색을, 눈과 귀를, 턱을, 그리고 잘 기억나지 않는 너의 키와 팔과 다리를 그리워하고 기억해. 이게 내가 너를 떠올릴 수 있는 마지막 방법이지 않을까, 발악이지 않을까, 속죄이지 않을까.

이기적이지만 넌 내 이름을 잊지 않았으면 좋겠어.
내릴 강, 비 우.
네가 좋아하던 이름이잖아.

강우는 언제 흐른 건지 모를 눈물을 닦으며 일어났다. 바지를 털며 눈사람을 두어 번 토닥였다. 다시 집 안으로 들어선 강우는 자신의 책상에 엎어진 편지지를 다시 서랍에 넣었다. 그리고 혼자 생각했다. 편지는 항상 써야만 하는 게 아니라고, 자신이 전한 말들이 모두 여름을 향한 편지였다고. 저 눈사람이 녹으면 그 모든 말들이 다 여름에게 전해졌을 거라고. 녹아서 물이 되고 흐르면 모든 말이 여름에게 닿을 거라고. 그저 그렇게 생각했다.

*

내 여름, 너무 눈부셔서 감히 바라보기도 힘들었던 내 여름.

여름아. 난 네 모든 흔적을 원망해. 네가 남기고 간 수많은 기억을 원망하고 너를 힘들게 한 모든 것들을 원망해. 너를 집어삼킨 바다도 원망해. 나는 나까지도 원망해.

원망해서 널 영원히 기억할 거야. 하나도 빠짐없이 전부 새길 거야. 받기만 해서 돌려주지 못한 것들도, 너를 보며 느꼈던 수많은 감정도 모조리 새길 거야. 영원히 특별할 너니까.

그 옆에서 나도 특별할 수 있게.

너도 나를 잊지 않게.

우리에게 시간이 좀 더 많았다면 지금과 달랐을까?

아냐. 넌 이미 바다로 떠나고 싶어 했으니까. 우리가 달라지려면 모든 일이 시작하기 전이었어야 해. 나에게 흉터가 생기기 전에, 네 엄마가 돌아가시기 전에, 내가 여름이라는 계절을 싫어하기도 전에 만났어야 해.

모든 여름을 껴안아 그 어떤 계절도 네가 외롭지 않기를 간절히 바란다. 모든 계절에 네가 혼자이지 않기를 간절히 바란다. 제발, 제발 내가 혼자라는 사실이 와닿지 않기를 바란다. 그저 그거면 된다.

널 아무리 원망해도 사랑에서 비롯된다는 걸 나는 모를 수 없으니까. 나는 결국 여름을 사랑하게 되었으니까.
너만 없는 그 계절을 사랑하게 되었으니까.

그럼에도 내가 널 그리워하는 모든 날과 언젠가 너에게 닿아 네가 이 원망에 고통받을 그 모든 날은 전부 계속될 거야. 나는 내가 죽을 그날까지도, 죽고 나서의 그 긴 기다림도 영원히 널 기억하고 살아남을 거니까.

*

모두가 서로를 떠나고 자신을 찾아가는 그런 날의 출발점. 한겨울의 눈이 내리던 날이었다. 우리는 흰 눈을 잔뜩 맞으며 졸업했다.

나는 평소보다 일찍 떠진 눈에 정말 오랜만의 여유를 즐기고 있다. 우리는 이제 '일상' 생활을 한다. 강우도 나도 이젠 현실을 산다. 여름이 없는 시간 속에서 여름을 끼우고 찾는 시간이 아니라 그 사실을 인정하고 받아들이는 시간을 산다. 나는 간단히 차려진 아침을 먹으며 이미 출근한 엄마에게 전화를 걸었다.

엄마, 몇 시쯤 올 거야?

졸업식에 딱 맞게 도착할 거 같은데?

알겠어.

슬슬 나갈 준비를 했다. 머리카락이 꽤 많이 자랐다. 항상 단발이었던 나는 어느새 여름이 그랬던 것처럼 머리를 높게 묶을 수 있게 되었다. 괜히 어색해서 머리를 배배 꼬았다. 널 처음 봤을 때, 긴 머리칼이 정말 예뻤는데. 시계를 보니 곧 나가야 할 시간이었다. 나가려고 보니 창문 틈으로 찬 바람이 꽤 새어 들어왔다. 나는 침대 옆 옷장 깊숙이에 접어 둔 목도리를 챙겼다. 진짜 겨울이라는 게 실감 났다. 나는 여름의 목도리를 목에 감고 방 한편에 놓인 여름의 사진과 마주 봤다.

나 졸업하면 일본에 갈 거야.
삿포로에 가서 아무도 밟지 않은 하얀 눈밭을 밟을 거야.
여름이 되기 전엔 돌아오지 않을 거야.
그냥 그럴 거야.
여름엔 여기에서 머무를게.
여름만은 여기서 버틸게.
졸업 축하해, 여름아.

학교에 가는 길은 아직 날씨가 다 풀리지 않아 입김이 새어 나왔다. 매번 걷던 길은 어느새 눈이 쌓여있었고 여름의 더웠던 공기는 흔적도 없이 사라졌다.
하늘은 지나치게 맑았다. 볼에 찬 바람이 감돌 땐 마치 자전거를 탔을 때 느꼈던, 하늘을 나는 것만 같았던 그 이유 모를 해방감이 들었다. 그 기분이 너무 좋아서, 후련해서 한참을 그 해방감 속에 서 있었다.

학교에 도착했을 때 이미 졸업식은 시작된 지 꽤 된 것 같았다. 서로 꽃을 주고받고, 사진을 찍고, 듣기 좋은 말들을 주고받는 사람들이 가득했다. 몇몇은 울었고 몇몇은 웃었다. 나는 아무런 느낌도 들지 않았다. 울기엔 눈물이 나지 않았고 웃기엔 신나지 않았다. 진작 떠났어야 할 곳을 떠나는 기분이었다.

저 멀리서 강우가 보였다. 한 손엔 꽃을 들고 또 다른 한 손으로는 나에게 인사를 하고 있었다. 표정은 환히 웃고 있었다. 나는 저 표정이 나를 위한 표정이라는 것을 알았다. 슬픔이 묻어있음을 나는 모를 수 없었다.

… 강우야. 고마워.

강우는 아무것도 듣지 못한 것 같았다. 그 모습에 조금 더 용기가 생겼다. 넌 못 들을 테니까 이런 말도 해도 될까. 너에게 꼭 해야 했을 말인데 못 했던 말. 나를 살게 했던 너에게 해야 하는 말. 대놓고는 못할 그런 말.

.

.

강우야. 나를 내내 숨 쉬게 했던 강우야.

넌 고여있지 말고 꼭 흘러. 모든 사계절을 살아.

내가 좋아했던 너의 그 여유를 되찾아. 너의 망설임 없는 올곧음을 되찾아.

나를 이끌었던 네 손을 정말 좋아했어.

나를 숨 쉬게 하던 네 체온을 정말 좋아했어.

널 좋아해.

강우는 여전히 웃었다. 아무것도 못 들었겠지. 넌 그래야만 해. 그래야 비겁하게 도망치는 나를 붙잡지 못할 테니까. 너에게 말도 안 하고 떠나는 나를 용서하지 않을 테니까. 넌 꼭 그리움 속에 살지 말고 원망 속에 살아. 원망하면서 앞으로 나아가. 고여있지 말고, 썩어가지 말고, 자유롭게 날아. 삿포로에서 눈이 오면 너를 떠올릴게. 너는 비니까, 언제든, 어디든 비가 오고 눈이 오면 너라고 생각할게. 장마가 와야만 지나가는 여름에, 비가 내리지 않아 뜨겁기만 했던 내 여름에 비 내려준 너니까 영원히 떠올릴게.

한여름.
너는 나의 혹서였다.

너라는 존재가 내뿜는 지독한 뜨거움에 막혀오는 숨이 내가 살아있음을 상기시켰다. 어떤 걸로도 식혀지지 않는 열기는 끝내 정신을 혼미하게 만들었고 타들어 갈 것만 같은 온몸의 신경만이 내 감각에 끊임없는 고통을 새겼다.

너와 함께한 하나의 계절이 모두 생생한 살아있음의 감각이었고 끝내 너의 유서였다.

그런 생각을 한 적이 있어. 내일 당장 지구가 멸망하면 어떻게 될까. 너는 살아남을 수 있을까? 네가 유일한 생존자가 될까? 지구가 멸망한다면 인류도 멸망하는 걸까?

인류가 멸망하면 지구를 기록하고 기억할 인간들도 없어진 채로 잊히려나. 멸망된 사회는 어쩌다 새로운 문명의 시작이 되고 너는 새로 태어나려나.

새로 태어난 너는 그 문명 속에서 자라겠지. 자라면서 지구의 멸망을 상상하겠지. 그 상상 속에서 너는 유일한 생존자겠지.

너와 나는 기억하자.

네가 살아있었음을, 내가 살아있었음을.

여름이에게

2019. 09. 25

2019. 11. 04

2020. 01. 19

2020. 05. 02

2020. 07. 23

2020. 12. 30

2019. 09. 25

여름이에게

네가 사라진 지 벌써 일주일이 넘었어. 내일이면 오겠지, 그다음 날이면 오겠지, 하며 기다리다 보니 시간이 이만큼 지났더라. 네가 돌아오면 꼭 해주고 싶은 말이 있었는데 잘 기억이 안 나. 그래서 이젠 안 잊으려고 편지를 써. 언젠가 네가 돌아오면 이 편지들을 꼭 읽기를 바라. …너에게 쓰는 모든 편지가 제발 나만의 일기가 되지 않았으면 좋겠어.

있잖아. 나 네가 바다로 가고 싶다고 했을 때, 네가 아닌 줄 알았어. 벗은 네 몸도 처음 봤고 그토록 애처롭던 네 표정도 처음이었어. 그래서 뛰쳐나왔는데 다시 들어갈 수가 없었어. 무서웠거든. 더 찾아가면 네가 영영 숨어버릴 것 같았어. 나 어쩌면 내가 피했던 걸지도 몰라. 널 잡을 수 있었는데 내가 놓쳐버린 걸지도 몰라. 넌 바다로 갔겠지? 조금만 놀다가 돌아와. 기다리고 있을게.

2019. 11. 04

여름이에게

바다를 다녀왔어. 너를 집어삼킨 바다를 보는데 이상하게 기뻤어. 나 그동안 엄청나게 웃고 다녔거든. 슬퍼도 웃었어. 네가 그랬던 것처럼. 그래서 나도 모르게 기뻤던 걸까…. 바다를 보러 갔을 땐 자연스럽게 너와 갔던 바다가 떠올랐어. 강우가 내 손을 잡아줬던 그 바다. 그땐 강우가 내밀어 준 손이 정말 크고 넓었던 것 같았는데 이번엔 그냥 손이었어. 상황이 달라짐에 대한 허무함은 어쩔 수 없는 거겠지.

강우는 바다에 와서 몸을 담갔어. 난 모래들 사이에 쪼그려 앉았고 강우는 계속해서 더 깊이 들어갔어. 춥지도 않나 봐. 사실 나도 춥지는 않았던 거 같아. 바다도 너무 덥고 숨 막혀서 간 거였거든. 강우는 바다에서 네가 느낀 편안함을 느꼈나 봐. 몸을 구석구석 씻었어. 강우는 그저 물이 좋아서 더 깊이 들어간 것뿐이었는데 이상하게 주위 사람들이 강우를 끌고 나온 거 있지? 요즘은 세상 사람들이 이해 안 될 때가 많은 것 같아.

2020. 01. 19

여름이에게

아저씨가 이사하더라. 웃긴 게 네 방은 그대로였어. 네 방만 놔두고 아저씨는 떠났어. 정말 오랜만에 네 방을 갔는데 모든 게 그대로였어. 일부러 보려던 건 아닌데 네 일기를 발견했어. 넌 아마 바다에서 돌아오지 않을 것 같아. 네가 얼마나 힘들었던 건지, 네가 얼마나 불쾌한 세상 속에서 살았는지 알아버렸으니까. 대신 내가 증명해 줄게. 너의 모든 것들을 다. 아, 방에서 네 사진을 봤는데 그 사진을 보니까 해맑게 웃고 있던 너를 처음 본 것 같았어. 나도 모르게 그 사진 앞에 주저앉아 계속 너를 보고 있었나 봐. 네 방문이 열렸을 땐 강우가 서 있었어. 바다를 다녀온 후로 한 번도 보질 못했는데 강우도 아저씨가 이사 간 걸 알았나 봐. 이상하게 강우를 보니까 또 눈물이 나오는 거 있지? 어린애처럼 소리 내서 크게 울었던 것 같아. 몸이 자꾸만 떨려서 말도 제대로 나오질 않고…… 강우는 나를 꽉 안아줬어. 그렇게 꼬박 하루를 네 방에서 있었던 것 같아.

이미 가져와 버렸지만 네 공책과 목도리를 빌렸어. 기분 나빴다면 미안.

2020. 05. 02

여름이에게

살을 베기 시작했어. 네가 들으면 조금 싫어할지도 모르지만 나는 마음이 편해. 살을 베면 벨수록 너에 대한 그리움도 베어지는 것 같았거든. 그리움 속에 살면 생각보다 많이 힘든 것 같아. 너를 무한히 그리워하게 되고 나를 점점 잃어가. 계절도 잘 느껴지지 않고…… 아무래도 곧 여름이 올 건가 봐. 미세하지만 새벽이 점점 짧아지고 있어. 나는 여름이 오는 게 무서워. 작년부터 모든 계절은 온통 여름 같았으니까. 이번 여름은 덥겠지? 더울 거야 아마. 잘 견뎌내 볼게.

요즘은 하늘을 자주 봐. 마음이 편해진다고 해야 하나. 네가 바다를 보면서 느꼈을 감정이 뭔지 조금은 알 것 같아. 아, 이젠 네가 조금씩 희미해지고 있어. 널 기억하려 애쓰긴 하지만 내 기억 속의 너는 이미 내가 알던 너와 조금 달라지고 있는 것 같아.

그래도 난 널 여전히 기억해.

보고 싶어.

2020. 07. 23

여름이에게

여름이 왔어. 역시 너무 더운 것 같아. 분명 네가 있던 작년 여름은 이런 것 같지 않았는데… 나 부쩍 혼잣말이 많아졌어. 너에게 하고 싶은 말은 많은데 글솜씨가 좋지 못해서 그런가. 너무 더워서 가만히 앉아있기도 쉽지 않아. 이젠 이 짓도 그만해야겠다 싶어.

여름아.

나…… 올해는 꼭 가을을 겪고 싶어.

2020. 12. 30

여름이에게

졸업식이야. 나 아침에 가방을 챙기는데 바람이 쌀쌀한 거 있지? 내가 정말 겨울을 살고 있다고 느꼈어. 그래서 네 목도리도 둘렀어. 집을 나오니까… 눈이 쌓여있었어. 정말 여름의 흔적은 찾아볼 수가 없었어. 작년은 온통 더웠는데 이번 겨울은 추웠어.

나 이제 다 견뎌냈나 봐.

널 보내줬나 봐.

이번 겨울이 끝나기 전엔 일본으로 가려고. 겨울을 만끽하고 싶어. 아무도 밟지 않은 흰 눈을 밟고 그 눈 속에 누워보고 싶어. 이젠 일기를 쓰지 않겠다고 다짐했는데 지난 일기들을 보니까 너한테 좋은 말 한 번을 안 했더라. 그래서 쓰는 거야.

잘 지내, 한여름.

epilogue

꿈을 꿨다. 사방이 바다로 뒤덮인 곳에서 눈을 떴을 때 내 볼은 모래에 닿아있었다. 나는 며칠 전 바다에서 잃어버렸던 네 목도리를 두른 채 옆으로 누워있었다. 바로 앞엔 바닷물이 일렁이고 있었다.

이 바다가 너를 집어삼킨 바다일까. 나에게서 너를 앗아간 바다일까. 넌 이 파도를 타고 전 세계를 여행 중일까.

너를 만나면 꼭 전할 말이 있다. 나는 이제 여름이 싫지 않고, 모든 사계절을 산다고. 또다시 여름이 오면 그 여름을 기꺼이 견뎌내겠다고. 그러니 제발 한 번만 먼저 나에게 와달라고. 나는 네가 없는 여름을 이미 충분히 겪었다. 그러니 이젠 영원히 너라는 여름을 기다릴 수 있어.

하염없이 걸었다. 끝도 없이 펼쳐진 바다에 맞물린 모래사장을 계속해서 걸었다. 모래가 파도에 먹히고 나도 서서히 먹혔다. 파도는 멎질 않고 해는 계속해서 밝게 비쳤다. 나는 점점 가라앉았다. 숨이 쉬어지지 않는 게 갑갑하지 않았다. 오히려 홀가분했다. 파도 소리가 점점 들리지 않는 깊숙이에 도달했을 때 바다는 의외로 밝았다. 늘 어두울 거라고만 생각했는데 옅게 내 살들이 푸른빛을 띠기 시작했다. 참 예쁜 바다라고 생각했다. 네가 빠진 바다가 여기가 맞는다면, 네가 지금 이곳을 여행하고 있는 게 맞는다면 네가 부러워질 정도였다. 그렇게 계속해서 가라앉으며 파도가 치는 게 느껴지지 않을 즈음에 네가 보였다. 고요했다. 이젠 해도 비치지 않고 파도 소리도 들리지 않았다. 너는 몸이 다 젖은 채로 해맑게 웃고 있었다. 너는 이 어둡고 차가운 심해 속에서조차 여전히 빛나고 있었다.

너는 이 어둡고 차가운 곳에 계속 있었어?

이곳이 정말 네게 안식이 되었어?

너를 보자마자 다 견뎌냈다고 생각했던 오만이 나를 더 큰 파멸로 이끌었다. 손가락 끝에서부터 소름이 돋았다. 몸이 미세하게 떨리기 시작했다. 떠나보낸 줄 알았던 계절이 보내지지 않았다. 나는 여전히 여름을 살고 있었다. 끊어짐 없이 흘러내리는 눈물에 네 형체가 잘 보이지 않았다. 점점 멀어져 가고 있는 것 같았다.

어딜 가. 나랑 얘기를 해야지.

미처 하지 못한 인사를 해야지.

이 길었던 여름을 끝내야지.

넌 나를 안았다. 차가웠다. 아니, 차가워도 괜찮다. 여름을 견딜 수 있으니까. 견뎌내지 못했던 여름을 이젠 견딜 수 있으니까.

근데 왜, 왜 이제서야 나타나. 널 그리워하고 보고 싶어 할 땐 보이지도 않더니 왜 원망하려고 하니까 이렇게 나타나. 왜 끝까지 후회만 하게 만들어.

차마 널 마주 껴안지 못했다. 가만히 나를 안고 있던 너는 나를 서서히 놓고 내 눈물을 닦았다. 그리고 내가 그토록 좋아했던 햇살 같은 미소를 보였다. 나는 한참을 울었다. 너는 그저 웃기만 했다. 나는 잠시 뜸을 들이다 내 목에 둘린 목도리를 풀어 너에게 감았다. 그리곤 먹먹해지는 목소리를 가다듬으며 말했다.

내가 그렇게 더울 때 넌 추웠겠네. 내가 숨 막히는 더위에 겨우 허덕일 때 넌 추웠겠네. 아무런 빛도 없는 이곳에서. 세상이 무거웠다며. 근데 넌 왜 여기서조차 가라앉아. 왜…

너는 웃으며 말했다.

여긴 부딪히지 않아. 여울아. 세상이 아무리 나를 눌러도 나는 땅에 처박히지 않아. 그거면 돼.

그래. 언젠가 너를 집어삼킨 심해가 너를 얕은 파도로 올려보내 줬으면 좋겠어. 이 어둡고 깜깜하기만 한 곳만큼은 너를 누르지 않고 위로 들어 올려주면 좋겠어. 나는 널 견뎌낼 수 없었으니까. 감히 내가 너를 들어 올릴 수 없었으니까. 한낱 미개한 두려움에 너를 그토록 쉽게 져버렸으니까. 그러니까 나는 너에게 돌려줄 수 있는 게 목도리밖에 없다. 내가 너한테서 앗아간 목도리밖에 돌려줄 수 없다. 그러니까 나도 바라지 않는다. 네가 나에게서 앗아간 여름을 바라지 않는다. 수많은 계절을 바라지 않는다.

나는 이 말들을 차마 입 밖으로 내뱉지 못하고 너를 쳐다봤다. 머금은 말들이 튀어 나가지 않게 입을 꾹 다물었다.

한여름은 내가 감아준 목도리를 만지며 말했다. 기껏 가져간 목도리를 왜 돌려주냐고, 그냥 너 하지 왜 가져왔냐고.

나는 말했다. 나에게 목도리는 필요 없다고.

넌 웃으며 고맙다고 말했다. 나는 괜히 원래 네 건데 뭐가 고맙냐고 말했다.

내게 목도리는 정말 필요 없다. 나는 춥지 않으니까.

영원히 뜨거우니까.

혹서를 몸소 겪고 있으니까.

너는 나를 증명한다. 내가 살아있음을 증명하고 내가 겪은 여름을 증명한다. 나만 너를 증명한 게 아니었어. 너는 이미 나를 매 순간 증명하고 있었다. 그러니까 나는 너의 유서를 받아 들고 나아간다. 네가 남겨둔 여름을 등에 업고 전진한다. 등 뒤의 뜨거움에 내가 녹아도, 그 여름이 나를 짓눌러도 나는 전진한다.

너를 껴안고 눈을 감았다. 널 만나면 하고 싶은 얘기가 너무 많았는데, 많아서 적어두기까지 했는데 막상 널 보니 예정되어 있지 않은 말들이 무질서하게 터져 나왔다.

근데 말이야. 지금은 너랑 있으면 안 될까. 꿈에서 깨면 어떻게든 살아가 볼 테니까 지금만큼은 너랑 있으면 안 될까.

여울아. 눈을 떠야지.

싫어. 뜨면 네가 없을 거잖아. 또 나만 너 없이 세상을 살아가야 하잖아.

너는 따뜻한 사람이니까 할 수 있을 거야. 나 하나를 이렇게까지 사랑해 주는 사람이잖아. 나도 널 만나고 나서야 깨달았어. 내가 어떤 사람이었는지, 내가 뭘 하고 싶고 무얼 위해 살아가는지를. 그러니까 이만 나가. 이 바다가 너까지 삼키기 전에. 네가 태양 빛을 완전히 잃기 전에.

너는 나를 밀친다. 내 표정을 이미 읽었으면서. 너와 떨어지기 싫다는 걸 이미 알면서. 죽어도 보내기 싫은 표정을 하고선 나를 계속해서 쳐낸다. 싫어. 나는 네가 생각하는 것만큼 따뜻한 사람이 아니야. 나도 지금 행복해. 너를 만났잖아. 네가 내 태양이 되어주면 되잖아. 하지만 끝내 너는 내 얘기를 듣지 않는다. 너는 끝까지 네 할 말만 해. 내 얘기는 온통 닿지 않게 쳐내면서 네 말들만 내게 닿도록 해.

나만 네 말들에 부딪힌다. 언어의 조각들이 내게 던져져 하염없이 들러붙는다. 그 언어의 조각엔 내가 그토록 너에게 하고 싶었던 말, 그러나 네게는 닿지 못할 말, 너만 내게 던져놓고 또 나를 살아가게끔 하는 말이 흩어져 있다.

날 사랑한다고.

요란하게 울리는 핸드폰 소리에 눈을 떴다. 베개는 젖어있었고 창밖엔 태양이 환한 빛을 내뿜고 있었다. 오래도록 그 빛을 보고 있으니, 마치 새하얀 눈이 퍼지는 것 같았다. 벌써 여름이 오고 있구나…

핸드폰 화면엔 한국에서 온 문자메시지가 떠 있었다. 나는 미리 보이는 그 글자만 읽고 차마 메시지를 누르지 못한 채 다시 내려놓았다.

여름아, 네가 던진 언어의 조각들이 너무 무거운 탓일까. 침대에서 일어나는 게 너무 힘들었어. 그래도 괜찮아. 너는 내게 사랑을 말했으니까. 이럴 줄 알았다면 나도 너에게 말해줄걸. 이 세상이 무겁던 너에게 나도 사랑을 말해줄걸.

나는 문득 떠올렸다. 네 목도리를 잃어버렸던 그날을.
매일 그 바다로 네 목도리를 찾으러 갔던 날들을.
난 목도리를 잃어버린 게 아니었어. 네가 있는 바다로 돌려준 거였어. 이젠 더 이상 그 목도리를 찾으러 매일 바다로 가지 않아도 괜찮아.
더 이상… 아무것도 하지 않아도 괜찮아.

나는 책상에 앉아 펜을 쥐고 이미 오래전에 끊긴 편지에 몇 글자를 이어 적어본다.
나도 널 사랑한다고.
한여름을 사랑한다고.
만약 내가 다시 그 바다로 가서 널 만나게 되면 기꺼이 널 마주 껴안겠다고.

"한여름 님의 시신을 찾았습니다."

<추신>

너는 알까. 환한 빛을 오래 바라보고 있으면 그 주변도 하얘진다는 거. 그럼, 그게 너무 아름다워서 눈을 뗄 수가 없다는 거. 그러다 보면 어느새 눈앞이 새하얘지고 하얀빛으로 꽉 차게 된다는 거.

그렇게 계속해서 보면 어느새 새하얬던 풍경은 어디에도 없고 아무것도 보이지 않는다? 실명인 거지.

너는 내 태양 빛이었나 봐.
바라볼수록 너무 아름다워서 눈을 뗄 수가 없었어.
네 덕분에 나는 그해 여름까지도 아름다웠어.
그리곤 잃었어. 계절도, 너도.

그렇지만…… 그럼에도 나는, 널 필요로 해.
매일 너라는 태양을 바라봐야만 해.

이 열기에 숨이 잘 쉬어지지 않아도,
피부가 타올라도 나는 너를 사랑해. 영원히.

*

작가의 말

처음 이 책을 구상하게 된 계기는 책에 계절을 담고 싶었기 때문이었다. 정확히는 여름을 담고 싶었다. 끔찍할 정도의 더위와 꿉꿉함에도 아름다움이라는 단어로 포장된 여름을 책에 고스란히 담아보고 싶었다. 신기하게도 이 책을 다 썼을 땐 어느새 나도 여름을 사랑하고 있었다. 이 책을 읽을 많은 사람이 계절 여름을, 혹은 인간 여름을 사랑하게 되었기를 바란다.

이런 말을 하기 아주 조심스럽지만 나는 한 사람이 주는 영향력과 그 한 사람을 잃었을 때의 그 복합적인 감정들을 나타내고 싶었다. 과연 확실한 죽음이 제일 여운이 오래갈까? 라는 의문에서부터 시작해 자기 실종으로 치닫기까지 나는 정말 내 가까운 친구를 잃는다면 이라는 물음을 스스로 수없이 던졌던 것 같다. 정말 사랑하던 친구를 잃었을 때

와 그 친구가 줬던 영향을 생각하면 특히나 계절과 겹친 여름의 이미지가 더 여운을 줄 수 있었던 것 같다.

이 책을 쓰기 시작한 2월부터 마침표를 찍은 10월까지, 어쩌면 나는 여울이 겪었던 여름을 잃은 그해의 겨울부터 다음 해의 여름까지를 나조차도 겪어온 게 아닐지 생각한다. 그만큼 이번 여름은 나도 숨 막혔고 그 뜨거움에 주인공 여름이 계속해서 떠올랐으며 이 책 속에 그려진 다양한 계절들이 머리를 스쳤다. 그럴 때마다 나도 모르게 소리 내어 울었던 것 같다. 혹서를 쓰면서, 또 읽으면서 참 많이 울었다. 내 감정들을 다 담고 싶어도 담아지지 않다가도 어느새 쓰고 보면 훨씬 더 벅찬 감정들이 담겨 있는 이 작품을 보며 꼭 내가 아닌 다른 사람들도 이 감정을 느껴보길 바라는 생각이 많이 들었다. 또한 이 책을 쓰면서 느낀 것은 난 글 쓰는 것을 멈추지 않고 시간 또한 멈춰주지 않는다는 것이었다. 흘러가는 시간 동안 더 많이 쓰여 내려가는 글들은 각자의 정체성을 찾아 자리를 찾아가고 내 손에서 빠져나간 글들 뒤엔 홀로 남겨진 내가 있다. 홀로 남겨지는 내가 두려워 이미 끝을 내야 했음에도 오래 붙잡고 있었던 것 같다.

여름이 지난 지금, 나는 이 책을 떠나보낼 수 있을 것 같다.

언젠가 여행을 갔을 때 차에 타서 창문을 바라본 적이 있다. 여름 중에서도 가장 뜨거웠을 때 창문으로 바라본 태양은 내게 흡수될 것만 같았다. 그 태양에 숨이 막히고 거대한 열기에 삼켜지는 상상을 했다. 여울이 살아온 여름에 갇혔던 계절들은 다 이런 느낌일 것 같다고 생각했다.

많은 사람이 이 책을 읽으며 여름을 느낄 수 있다면 좋겠다. 나 또한 이 글을 매번 다시 읽지만, 그때마다 여름을 그리며 읽고 있다.

내가 느낀 여름을 모두가 느끼길 바라며
앞으로 마주할 수많은 여름 중
내가 사랑한 여름을 이 한 권에 담아 보낸다.

2023년 여름을 매듭지으며
윤